Cadw dy ffydd, brawd

Owen Martell

GOMER

Argraffiad cyntaf—2000

ISBN 1 85902 861 6

Dymuna'r cyhoeddwyr gydnabod cymorth
Cyngor Llyfrau Cymru.

Cyhoeddir y gyfrol hon gyda chymorth
Cyngor Celfyddydau Cymru.

Argraffwyd yng Nghymru gan
Wasg Gomer, Llandysul, Ceredigion

I fy nheulu,

ac i Gil, Bev a'r Proffwyd.

'Two clichés make us laugh but a hundred clichés move us because we sense dimly that the clichés are talking among themselves, celebrating a reunion.'

1. Un diwrnod . . .

Mae hi'n ddiwrnod fel pob diwrnod arall. Rwy'n cymryd fy nghoffi oddi ar y cownter ac yn mynd i eistedd wrth un o'r nifer o fyrddau gwag sydd yn y lle. Rwy'n cerdded i'r gornel gefn, allan o olau'r haul, yn eistedd ac yn pwyso'n ôl yn y gadair. Mae hi'n gwichian mor uchel nes gwneud i mi blygu ymlaen yn syth, rhoi fy mheneliniau ar y bwrdd – sydd mor sigledig â'r gadair – a syllu ar y coffi o'm blaen. Mae ewyn gwyn y peiriant berwi llaeth yn dechrau pylu a'r hylif brown oddi tano yn ymddangos fel pridd drwy eira'r gwanwyn. Rwy'n codi'r cwpan i'm gwefusau ac yn cymryd llymaid petrus. Mae hi'n hanner awr wedi deg y bore a does dim arwydd fod heddiw am fod fymryn yn wahanol i'r un diwrnod arall.

Mae fy rhan innau o'r caffi'n dywyll, ac ma' edrych ar oleuni'r ffenest yn gwneud iddi ymddangos yn dywyllach fyth. Rwy'n canolbwyntio ar y stryd y tu allan, felly. Yno mae hi mor brysur ag erioed: bechgyn ysgol yn chwerthin, menywod yn cario bagiau siopa, merched ifainc yn gwthio babis tew, swnllyd. Ar ochr draw'r stryd mae 'na ferch dal, smart yn paratoi i groesi'r heol. Mae hi'n edrych i un cyfeiriad, wedyn i'r llall cyn cerdded yn bwrpasol i'r ochr arall. Rwy'n ei dilyn â'm llygaid tan iddi gerdded i'r caffi. Mae hi'n archebu coffi ac yn aros wrth i'r peiriant ferwi ei llaeth hi. Wedi derbyn y coffi mae hi'n dewis bwrdd yng nghanol y llawr. Yn sydyn, fel pe bai hi wedi tynnu holl siopwyr y dre ar ei hôl, mae'r lle'n llawn, a phobl yn siarad yn uchel, yn archebu diodydd a brechdanau, yn trafod y tywydd a'r siopa. Mae nifer o'r wynebau'n lled-gyfarwydd. Ond yn eu canol y mae'r ferch dal, smart. Rwy'n edrych arni, a hithau'n codi'i golwg o'i chwpan wrth deimlo'r llygaid arni. Mae fy llygaid innau'n ffoi rhag yr embaras yn syth.

Rwy'n syllu unwaith yn rhagor i mewn i'm cwpan coffi, ac yn chwythu'r ddiod yn felodramatig i'w oeri. Gallaf deimlo, a gweld o gornel eithaf fy llygad chwith, ei bod hi'n syllu arna i y tro hwn. Gyda rhyw ffwdan dianghenraid, rwy'n cymryd dau lymaid o'r coffi, yn fuan ar ôl ei gilydd, ac yn llosgi fy nhafod. Rwy'n ceisio anwybyddu'r boen, ac atal ei fynegiant yn fy symudiadau. Dwy' ddim yn llwyddo ac mae cyhyrau fy ngwddf yn tynhau a 'mhen yn gwingo fel tasen i newydd gael fy nharo ar fy ngên. Mae gen i deimlad ei bod hi'n gwenu. Dwy' ddim am edrych i weld, gan 'y mod i'n teimlo'n ddigon o ffŵl yn barod.

Sydd yn beth digon naturiol heddiw, mae'n siŵr, a hithau'n ddiwrnod Ffŵl Ebrill. Ond pa mor naturiol hefyd? Wedi'r cyfan, does dim byd arbennig ynglŷn â'r ferch hon – er ei bod hi'n ifanc ac yn smart, a'r rhan fwyaf o gwsmeriaid arferol y Central yn hen a diflas. Y mae hi, yn ôl pob tebyg, yn gweithio mewn swyddfa yn y dre, fel cyfreithwraig neu rywbeth, a dyw hyn hyd y gwela i, ddim yn anarferol. Does a wnelo'r ffaith ei bod hi yma ddim oll â diwrnod Ffŵl Ebrill nac â fi chwaith, mewn gwirionedd. Dyw hi ddim yma fel canlyniad i ryw ffawd arbennig, neu rym hollweledol a benderfynodd ei lleoli hi mewn caffi bach di-nod, ar fwrdd ger rhyw ddyn bach unig, yn unswydd ar gyfer ei boenydio ef a'i wneud mor hunanymwybodol fel na all yfed cwpanaid syml o goffi heb droi'n gawdel truenus o nerfusrwydd. Na. Mae ei phresenoldeb yma yn ganlyniad i'w hawydd hi i gael paned mewn lle gwahanol, siŵr o fod; ei hawydd hi i ddianc o undonedd ei choffi-brêcs boreol, ac os oes yna ddyn yn mynd i losgi'i dafod wrth yfed diod sy'n rhy dwym o'i hachos hi, wel does ganddi hi mo'r help am hynny, nac oes?

Ond er gwaetha pob ymdriniaeth realistig a rhesymegol o'r sefyllfa, eto dwy' ddim yn teimlo ifflyn yn llai nerfus. Oherwydd dyna yw tric y diwrnod, on'd ife. Pawb yn esgus fod popeth yn hollol normal, a chyn gynted ag y dewch chi i sylweddoli fod popeth yn hollol normal, Bang! R'ych chi wedi'ch dal. Felly nid y pry copyn yn y bàth, neu'r ferch ddieithr sy'n gwenu arnoch chi mewn caffi, yw'r triciau mewn gwirionedd – gweithredwyr anymwybodol i'r diwrnod yw'r rhain – ond y ffaith eich bod chi'n derbyn y diwrnod ar delerau pob diwrnod arall, yn lle disgwyl yr annisgwyl. Ond wrth gwrs, allwch chi ddim disgwyl yr hyn sy'n annisgwyl, neu fydde fe ddim yn annisgwyl, fydde fe? Gwell jyst edrych yn fud i'r cwpan coffi, rwy'n credu, a pheidio meddwl am unrhyw beth.

Mae e'n hanner gwag bellach, a'r ewyn oedd ar wyneb y coffi wedi glynu wrth ochrau'r cwpan yn we felys. Ac mae gen i un cysur yn y fan hon: os ydw i'n ffŵl am adael i ddieithryn darfu ar fy llonyddwch, a hynny heb reswm yn y byd, wel mae pawb arall yn y lle'n ffŵl hefyd. Fe ddilynon nhw'r ferch i'r caffi, on'd do? Sy'n eu gwneud nhw'n fawr gwell na fi. Gallech chi hyd yn oed 'weud taw'r unig reswm pam y cymerais i gymaint o sylw o'r ferch yn y lle cyntaf oedd am iddi

11

hi ymddangos mor bwerus, yn tynnu'r holl bobl i'r caffi ar ei hôl. R'yn ni i gyd yn ffyliaid felly; yn hen ffyliaid hanner cyfarwydd. Pob un wedi gweld y llall, ond heb dorri gair â'i gilydd erioed, a phob Ffŵl Ebrill wedi ymgasglu i yfed coffi yn y Central.

Mae hi'n chwarter i, nawr, ond yn gynnar o hyd. Rwy' am fynd i nôl coffi arall.

*   *   *

Rwy'n cyrraedd fy sedd eto ac yn gweld bod y ferch wedi gadael. Mae ei chwpan ar ôl ar y bwrdd, a dau becyn siwgr gwag ar y soser. Rwy'n falch ei bod hi wedi mynd. Mi fedra' i stopio teimlo'n ffŵl nawr, ac ymlacio. Wedi'r cyfan, wnâi hi ddim mo'r tro i ddechrau popeth yng nghanol y fath amheuon – mae'n siŵr y daw'r rheiny eto wedyn. Dyna ni 'te. *Normal service*, ac rwy' am ganolbwyntio ar y pethau da, y pethau fydd yn werth chweil – antur, cyffro a bydd e'n brofiad os dim byd arall. Profiad.

Ond mae'r amheuon yn gwrthod cilio'n gyfan gwbl chwaith. Diwrnod Ffŵl Ebrill, ffyliaid ac un ffŵl yn arbennig. Mae'n bosib nad oedd hi'r syniad gorau yn y byd i 'gyrchu allan' (– Whitman, yn addas ddigon) heddiw. Nid 'mod i'n credu mewn rhyw ofergoelion cachlyd fel 'na. Dwy' ddim yn ofni crash heddiw mwy nag y bydden i ar unrhyw ddiwrnod arall. Ond mae'r ffaith ei bod hi'n ddiwrnod Ffŵl Ebrill, a'r ffaith 'mod i'n hollol ymwybodol ei bod hi'n ddiwrnod Ffŵl Ebrill, er ceisio anghofio, *yn* rhoi gwedd wahanol ar bethau. Mae'r ffaith 'mod i *yn* teimlo'n ffŵl, yn teimlo'n ffŵl ar ddiwrnod y ffyliaid, ac yn cychwyn pethau ar y diwrnod hwn yn gosod y cywair fel petai. Fe fydda i'n ymwybodol trwy bopeth fod 'na elfen ffôl yn hyn i gyd. Wrth gwrs, dyw'r diwrnod ei hun ddim yn mynd i 'maglu i, na thynnu fy nillad, a 'ngadael i'n noeth ar ganol stryd, ond y meddwl; gall y meddwl wneud y pethau hyn . . .

Bai'r fenyw ar ochr draw'r ffôn oedd popeth i ddechrau:

'Na, syr, does dim byd gyda ni ar ôl ar y 31ain na'r 2ail, ond mae'r 1af yn eithaf gwag os hoffech chi i fi . . .'

'Ie, ie, iawn. Gymra' i sedd ar y 1af, 'te. Diolch.'

Roedd hynny fisoedd yn ôl, ond hyd yn oed bryd hynny roedd popeth fel petai wedi'i anelu at yr un diwrnod hwn. Yr un diwrnod pan fyddai amheuon a phryderon yn codi ymhobman. Nid fod y diwrnodau eraill yn rhydd o broblemau, ond fod i'r 1af symboliaeth dwt, hawdd. A rhyw addasrwydd mawr hefyd. Ffŵl Ebrill, ffyliaid ac un ffŵl yn benodol.

*   *   *

Rwy'n edrych ar f'oriawr eto – pum munud i – cyn edrych o'm hamgylch. Ar y wal wrth f'ymyl mae 'na boster ffilm mewn ffrâm rad – *Casablanca* a llun o Humphrey Bogart. Mae e'n edrych yn hyderus ac yn hollol hamddenol. Beth wnaet ti yn fy sefyllfa i, Bogie? Fyddet ti'n amau popeth, fel yr wyf i nawr? Na fyddet, mae'n debyg, achos fyddet ti ddim yn dy gael dy hun yn y fath sefyllfa. Dim ffiars. Ac er dy fod ti'n dda am actio'r truan – dy galon yn torri? – does neb yn credu am eiliad dy fod ti'n actio o dy brofiad personol. Neb yn credu y gallai Bogart ei gael ei hun yn y fath . . .

13

Ond does dim rhaid i hyn fod yn bicil chwaith, a dim rhaid i Ebrill 1af wneud ffŵl ohona i. Fe allai popeth fynd yn iawn. Beth, er enghraifft, pe bai'r awyren yn hedfan i'r gorllewin, ac yn hedfan eto ac eto, yn bellach i'r gorllewin, bum, chwe awr yn ôl mewn amser heb stopio? Petai'r awyren yn hedfan i hydredau gorllewinol naw, deg awr y tu ôl i ni, ac yn parhau i hedfan i'r Gorllewin? Nes cyrraedd y Dwyrain, ond fod hwnnw'n rhan arall o'r Gorllewin, a'r oriau'n cael eu gadael ar ôl mewn oes arall. Beth petai'r awyren yn llwyddo i fwrw diwrnodau, misoedd, blynyddoedd hyd yn oed, oddi ar amser? Fe allen i fod yn bymtheg oed eto! Ond fydde dim angen taith awyren arna i wedyn. Ac a fydden i'n blentyn eto, neu yn oedolyn yng nghorff y plentyn? Mae hi'n braf meddwl y gallen i fynd yn ôl, a fy aeddfedrwydd honedig gyda fi, i fy nhywys drwy'r cyfnodau pwysig, ffurfiannol; 'Paid â dweud hwnna, dwed hyn yn lle', 'Dyna ti, ti'n 'neud y dewis call'. Ond y tebyg yw mai mynd yn ôl i feddwl y plentyn ddigwyddai, a fi wedyn heb sylweddoli fod yna ddewis yn bodoli – dweud un peth, gwneud un peth a 'nghael fy hun ymhen blynyddoedd yn y Central, neu ddweud rhywbeth arall a, wel pwy a ŵyr?

Mae'r coffi yn fy ail gwpan wedi oeri rhywfaint bellach. Rwy'n ei lyncu'n gyflym nes cyrraedd y triog siwgr ar y gwaelod. Mae'r haul yn llachar y tu allan o hyd, a'r olygfa drwy'r ffenest – y bechgyn a'r menywod a.y.b. – yn union fel o'r blaen. Rwy'n teimlo fel petawn i wedi bod yn eistedd yma ers oes. Ar ochr draw'r stryd, fodd bynnag, yn y fan lle arhosodd y ferch ifanc i groesi'r heol, mae 'na dacsi. Mae'r gyrrwr yn edrych i gyfeiriad y caffi. Rwy'n edrych i fyw ei lygaid, ond dyw e ddim yn gallu fy ngweld yn nhywyllwch y lle. Mae e'n edrych eilwaith ar ei wats ac yn canu'r corn unwaith, ddwywaith. Fy nhacsi i yw e. Fe'i harchebais ar gyfer un ar ddeg o'r gloch. Dwy' ddim am symud – mae'r Gorllewin yn dal i droi a throsi yn fy meddwl – Gorllewin a gorffennol a thriciau Ffŵl Ebrill. Dwy' ddim am fynd. Mae'r holl amheuon yn codi'n sydyn ac yn gweiddi ag un llais. Dwy' ddim am fynd, ond mae yna fag ar y llawr wrth f'ymyl, a thocyn yn y boced y tu fewn i'm siaced. Costiodd £400 i mi a mynd, felly, fyddai orau.

2. Pacio

Wrth gwrs, nid y ferch darfodd ar lonyddwch fy meddwl. Roedd hwnnw wedi'i golli ymhell cyn iddi hi gerdded i'r caffi y bore 'ma. Ymhell cyn i mi gerdded i'r caffi hefyd, mewn gwirionedd. Esgus oedd hi, nid rheswm, a phe na bai hi wedi cerdded i'r caffi, ond wedi croesi'r heol yn lle hynny, a cherdded yn syth heibio i'r ffenest heb daflu cymaint â hanner cip i'm cyfeiriad, fe fydden i wedi cael hyd i f'ansicrwydd yn sicr ddigon, mewn rhyw fan annisgwyl arall.

Oherwydd fe ddylen i fod wedi cyfaddef wrthyf fy hun o'r dechrau nad oedd sail i hyn i gyd yn y byd go-iawn. Un peth yw breuddwydio, dychmygu, a hyd yn oed bwriadu troi'r llun yn olygfa real, ond peth arall, wrth reswm, yw cyrraedd y fan honno; troi'r syniad yn nod cyraeddadwy. 'Cer,' medde fi. 'Ocê, fe a' i.' A dyna hi. Ro'n i am fynd. Roedd y penderfyniad wedi'i wneud – mewn tri gair syml. 'Iawn. Ti 'di penderfynu bo' ti am fynd, nawr cer i bacio.' A dyna lle dechreuodd y problemau, y llif amheuon. Sut mae mynd ati i bacio ar gyfer taith sydd, ar y gorau, yn annelwig ei phwrpas? Sut ma' paratoi ar gyfer cwrdd â'ch delfrydau yn y cnawd?

Ro'n i wedi bod yn ystyried y daith am fisoedd cyn penderfynu 'mod i am fynd, neu, yn hytrach, cyn sicrhau y byddwn i'n mynd ar ôl penderfynu gwneud. Adnewyddais fy mhasport a phrynu'r tocynnau wythnosau ymlaen llaw, ac ma'n rhaid 'mod i wedi bod yn annaturiol o benderfynol y diwrnod hwnnw, oherwydd rwy' wedi difaru gwneud droeon ers hynny. Ond daeth pethau i'r pen ychydig ddiwrnodau cyn y dyddiad ar y tocyn. Dechrau ar y dasg o gasglu fy mhethau at ei gilydd yr oeddwn i – tynnu dillad o gypyrddau, gwneud yn siŵr fod hyn a'r llall yn lân, fod gen i ddigon o sebon ac ati – pan ges fy nharo gan aruthredd y peth. Dyna lle'r oeddwn i yn paratoi ar gyfer taith nad oeddwn i'n berffaith siŵr 'mod i am ei chymryd; yn rhoi bodolaeth real, gwedd ffisegol, ar rywbeth na fu erioed yn fwy na syniad yn fy mhen, delfryd meddwl unig a sentimental. Ac yn fwy na hyn, sylweddolais nad oeddwn i'n siŵr fod y delfryd hwn yn un y gellid ei droi'n rhywbeth real. Mae 'na rai pethau y mae'n well eu gadael yng nghoridorau hir a chul y cof.

Oherwydd mae 'na ddelfrydau ac mae 'na ddelfrydau. Mae 'na freuddwydion sy'n cynnal rhywun ar ganol cyfnod lletchwith ac mae 'na ddelfrydau eraill, syniadau, sydd ddim yn bleserus o bell ffordd; sydd ddim yn fforddio'r teimlad cynnes braf a gewch chi wrth feddwl, er enghraifft, am draethau a haul a diodydd pinc ac ymbaréls bach pren pan 'ych chi'n aros am fws ar ddiwrnod gwlyb yn Grimsby neu rhywle. Dyw'r delfrydau hyn wedyn, y rhai sydd, er eu bod nhw yn ôl eu *very* diffiniad yn ddelfrydol, ddim yn rhai y gallwch chi'ch colli eich hun ynddyn nhw, a cherdded rownd am byth â gwen dwp ar eich wyneb, gan fod 'popeth yn iawn yn eich byd bach chi'. Roedd fy nelfryd i wastad yn rhyw fath o briodas anghydnaws rhwng fy nymuniad pennaf a bwyta ceilliau dafad. Ac oherwydd hynny, yn anaml iawn y cawn i'r cyfle i ymlacio yn ei gyfforddusrwydd, neu gael ynddo unrhyw beth yn debyg i'r grym iachusol y mae pobl eraill fel pe baen nhw'n medru'i ganfod oddi mewn iddyn nhw eu hunain. A thra mai mater syml o aros i'r delfrydau hyn – y traethau, yr arian, y merched Bond di-ben-draw – ddisgyn yn dwt i'w lle yn eu bywydau taclus oedd hi i bobl eraill, tipyn llai dibynadwy oedd y rhan o f'ymennydd i oedd i fod, yn ôl ei *job description*, i gynnig dihangfa rwydd i'w pherchennog. Y brif broblem, mae'n debyg, oedd nad o'n i'n siŵr hyd yn oed ai delfryd oedd fy syniad ai peidio. Ro'n i'n gwybod 'mod i wedi dychmygu sawl gwaith y gallwn i neidio ar awyren, codi popeth o'r gorffennol a'i wneud, rhywsut, yn newydd. Ond roedd popeth mor annelwig. Ro'n i'n gwybod hefyd 'mod i wedi 'mherswadio fy hun fod y daith hon a'i chanlyniadau yn mynd i setlo pethau unwaith ac am byth. Os byddai'r rhain yn darogan mai byw'n unig y byddai'n rhaid i mi ei wneud, yng nghanol pobl oedd yn rhy glyfar ac yn rhy bwysig i sylwi ar un dyn bach a'i 'dipyn byd' dibwys, wel, dyna ni. (Roeddwn i wedi ystyried hefyd y posibilrwydd na fyddai'n rhaid i mi ddychwelyd i'r bywyd hwn . . .) Ond beth bynnag ddigwyddai, o ganlyniad i'r daith, byddai hynny'n iawn. Pe bai'n rhaid i mi ddychwelyd adre'n waglaw fel petai, o sioe gwis druenus bywyd, eto, fe fydden i, drwy ryw wellhad meddyliol ac ysbrydol gwyrthiol, yn gymwys i ddelio â hyn. Ar y llaw arall, pe bai'r gorffennol yn cyfaddef wrtha' i nad oedd llawer o sbort i'w gael wrth fod yn anghofiedig a'i fod yn ysu am rywfaint o 'acsion' eto, wel . . .

Sut ar wyneb daear allwn i fod wedi bod mor naïf â dychmygu'r fath beth? Yn ei holl symlrwydd gogoniannus? Ond dyna yw natur y ddelfryd, rwy'n eich clywed chi'n datgan. Mae'r ffaith fod popeth yn syml ac yn berffaith, neu'n berffeithiach na'r presennol beth bynnag, yn nodweddion digamsyniol ar y meddwl delfrydol, a'r breuddwydiwr rhamantaidd. Ac mae hyn yn ddigon gwir. Ond rwy' hefyd yn gwybod na all un o'r atebion uchod – (a) hapusrwydd, neu (b) dysgu sut i ddygymod yn stoicaidd â bywyd annelfrydol – ddigwydd heb i mi orfod 'tynnu eto o'r wain gleddyf miniog y gorffennol', a'i 'blannu'n ddwfn yng nghrachod fy *psyche* briwiedig . . .' A dyna lle mae'r problemau gyda fy nelfryd i'n codi. Mae'r frwydr hon yn hollol anochel; ma' ailagor y crachod sydd, hyd yn oed nawr – yn y ffordd y mae fy mhrofiad yn dweud wrthyf eisoes sut y bydda i'n ymateb i wahanol sefyllfaoedd yn y dyfodol – braidd wedi cau, yn hollol, hollol anochel. Ac rwy'n hollol ymwybodol o hyn. Mi fydda i'n cofio drwy'r amser fod fy nelfryd yn debygol o greu cynnwrf yn fy mywyd nad oedd ei angen arna' i unwaith, heb sôn am ddwywaith, a bod ceisio'i wireddu fel rhoi fy mhen yng ngheg y llew. A dyna pam fod fy syniad delfrydol yn peri cymaint o benbleth i mi. A allwch chi, yn gyfiawn, alw dyhead i'ch niweidio'ch hun yn ddelfryd? Oherwydd dyna, o osod pethau ar eu gwedd symlaf, rydw i eisiau ei wneud. Wrth gwrs, mae gen i resymau dros wneud hyn: rwy' eisiau atebion i gwestiynau sydd wedi llosgi fy nhu mewn ers blynyddoedd, rwy' eisiau ailgydio yn y gorffennol, neu 'ddod i delerau ag ef', ac yn y pen draw mae'n debyg fod hyn yn cyfiawnhau unrhyw boen a ddaw yn y broses. Mae hi'n siŵr o fod yn werth dioddef wythnos pan ddaw holl rym pymtheg mlynedd o emosiwn at ei gilydd yn un *crescendo* amhersain, ofnadwy, os gall yr amser ar ôl hynny fod rhywfaint yn fwy . . . ha! dedwydd.

Ac wedi ystyried popeth a chyrraedd yr un casgliad dramatig, melodramatig, hyd yn oed, hwnnw, pa ryfedd fod pacio at y daith hon yn codi ofn arna i? Sut alla i dynnu'r holl ddyheadau hyn o'm meddwl, o'u byd ansylweddol, a meddwl amdanynt yn nhermau pa bants y bydda i'n eu gwisgo ar y daith? Sut alla i feddwl am olchi y tu ôl i fy nghlustiau, neu foddi fy nghorff mewn *Lynx Africa* tsiêp, pan fo cwrs gweddill fy mywyd, a'r posibilrwydd o dawelwch meddwl parhaol, ar fin cael ei benderfynu? Sut yn wir.

3. Gyrrwr tacsi

Y tu allan i'r caffi mae'r gyrrwr tacsi yn eistedd yn ei sedd ac yn edrych yn ddiamynedd o'i gwmpas, fel petai e wedi'i yrru ar siwrne wast gan griw o blant drwg a ddyle fod yn yr ysgol am un ar ddeg y bore. Mae e'n estyn ei fraich chwith i diwnio'r radio cyn edrych o'i amgylch. Oes 'na blant yn piffian chwerthin yn rhywle? Nac oes. Mae e'n troi eto tua'r caffi ac erbyn hyn rwy' wedi cyrraedd y drws. Mae e'n agor ei ddrws e ac yn aros i gar fynd heibio cyn camu i'r heol. Ac mae'n rhaid bod blynyddoedd o aros am gwsmeriaid, heb wybod pa un ai dychmygol oedden nhw ai peidio, wedi serio ar ei feddwl yr olwg sydd ar fy wyneb i nawr; yr olwg sy'n dweud 'mod i eisiau tacsi, mai fi a'i harchebodd, a'i fod e, o'r diwedd, yn mynd i gael ei dalu.

Mae'r gyrrwr yn ŵr tal, ei goesau'n denau a'i freichiau a'i sgwyddau'n wydn yr olwg, ond heb fod yn gyhyrog chwaith. Mae ganddo fol cwrw hefyd, sy'n gorlifo dros wregys ei jîns du, a does dim arwydd fod hyd yn oed y top Manchester United tyn sydd amdano am atal y llif nerthol hwnnw. Mae'n debyg, beth bynnag, fod un wedi arwain at y llall, ac nad yw hi ond yn deg iddo ddangos, yn ei fol, faint ei ymroddiad ef i'r tîm. Rwy'n croesi'r heol tuag ato, ac mae e'n gosod ei fodiau yng nghylchoedd ei wregys.

'Gilley?'

'Ie.'

'Reit.'

A dyna ni. Heb air yn rhagor, mae'r gyrrwr yn camu i'w sedd eto ac yn ei wneud ei hun yn gyfforddus. Rwy'n llusgo fy mag i'r sedd gefn gyda fi ac yn tynnu'r drws yn dynn ar fy ôl.

Yn y car mae'r radio yn chwarae cerddoriaeth sy genhedlaeth yn rhy ifanc i fi ac mae'r *speaker* sydd bron â bod *yn* fy nghlust dde, yn gwneud yn siŵr 'mod i'n clywed pob un nodyn, sgrech a gwich yn ei holl ysblander. Mae'r gyrrwr yn tanio'r peiriant a'r radio yn peidio am eiliad. Yn yr un eiliad hon y mae'r peiriant yn swnio'n hen, yn swnio fel petai wedi ateb pob un o alwadau ffug holl blant y ddinas, a mynd ymlaen i'r nesa heb amau. Yna mae'r gerddoriaeth yn ei hôl a'r gyrrwr yn nodio'i ben yn ysgafn i'r bît. Ond dyw e ddim mor ifanc â hynny chwaith. Mae ei wallt brown yn dechrau teneuo ger ei gorun ac mae'n edrych fel tase aderyn wedi 'gwneud' uwch ei ddwy glust. Fe ddylai'r gerddoriaeth fod genhedlaeth yn rhy ifanc iddo fe hefyd. Ond does dim arwydd ei fod e am gydnabod, na hyd yn oed ei fod e'n teimlo hynny. A phwy a ŵyr nad dyna'r ateb. Efallai mai dyna fu fy nghamgymeriad i. Rwy' wedi gadael i bopeth fy heneiddio i. Wedi tyfu gyda *Wish You Were Here*, wedi mynd yn hŷn law yn llaw â recordiau fy ieuenctid i, yn lle gadael iddyn nhw fynd hebdda i a neidio am ben y 'sŵn newydd'. Dyna wnaeth y gyrrwr tacsi mae'n siŵr, a does dim i ddweud ei fod e'n niwrotig ynglŷn â rhyw gyfnod euraid a aeth ar goll, dim arwydd fod y gorffennol yn unrhyw beth mwy na dechrau'r presennol iddo fe. Mae e, wedi'r cyfan, yn gwrando ar fiwsig y genhedlaeth nesaf; yn 'digio'r bît'.

Ond yn y fan hon y mae'r gwahaniaethau rhyngom

ni'n dau yn codi – os galla' i fod mor hy â thybio 'mod i'n adnabod cymeriad y dieithryn hwn. Oherwydd er mwyn parhau'n ifanc, er mwyn gwneud i'ch recordiau dyfu'n hŷn hebddoch chi a mynd ymlaen at y rhai newydd ('chwyldro electronig' ofnadwy yr wythdegau cynnar fyddai hyn wedi bod gyda fi), y mae'n rhaid wrth ryw oddefedd hynod. Gan mai dyna yw natur y diwydiant adloniant ysgafn, y 'canu pop' y mae clywed unrhyw un dros ei dri deg yn sôn amdano yn embaras o'r mwyaf. Dyna yw rheolau'r gêm: un wythnos mae'ch ffefryn chi ar frig y siartiau, a'r wythnos wedyn yn rif pedwar deg dau neu rywbeth. A dyw hwnna ddim yn drasiedi, jyst yn rhywbeth sy'n digwydd – i recordiau da a drwg fel ei gilydd (ond i'r recordiau da yn amlach na pheidio). 'Who reads yesterday's papers?' Ac mae prynu recordiau'r diwydiant yn gofyn eich bod chi'n dilyn rheolau'r gêm. Mae e'n gontract sy'n dweud na fyddwch chi'n hoffi'r Bee Gees am fwy na thair wythnos tan i record newydd Engelbert Humperdinck ddod allan, a hynny nes daw sengl newydd Elton John, neu Cliff Richard, neu un arall o'r llu sêr y mae pymtheg munud yn ddyledus iddyn nhw bob nawr ac yn y man. A dyna pam fod yna ddau fath o berson wedi datblygu ers y chwedegau, yn y cyfnod ôl-Featlaidd, sef y rheiny oedd yn barod i dderbyn y Stones i'w calonnau yn absenoldeb y Beatles (pan mai dim ond wedi mynd i recordio 'Rubber Soul' yr oedden nhw), a'r rheiny a glywodd 'Abbey Road' ac a benderfynodd y gallai Engelbert druan gadw'i 'eagerly awaited follow-up single', gan nad oedd y fath bleser rhad yn bwysig bellach. Y *mavericks* (ac mae'r gair hwnnw ynddo'i hun yn swnio fel enw band o'r chwedegau – 'Billy Kid and the Mavericks'!). Y rhai a anwybyddodd y rheolau (ond mewn difri calon. *Maverick*? Fi?) ac a welodd fod y 7" yn eu diffinio nhw, *man*; yn rhoi bodolaeth yn ogystal â thair munud o ddifyrrwch iddyn nhw. A phwy yn ei iawn bwyll allai ei berswadio'i hun ei fod yn methu aros nes clywed 'Silence is Golden', ac yntau eisoes yn gwrando ar Hendrix, 'After the Goldrush', Frank Zappa a Pink Floyd? Ac felly fe welwch chi nad oedd cerddoriaeth yn gysyniad estron hyd yn oed i mi, yn fy nydd, neu mi oeddwn i'n ddigon angerddol beth bynnag i ddyrchafu fy recordiau i uwchlaw rhyw ffansi wythnosol, ac i boeni o ddifri os nad oedd rhywun yn fy nosbarth yn gallu gweld fod 'Only Love Can Break Your Heart' Neil Young jyst *mor wir*! Ond wedyn fe ddigwyddodd pethau na alla i hyd yn oed nawr ddweud beth oedden nhw, ac fe stopiais i brynu recordiau, ond parhau i wrando ar yr ychydig oedd gen i wedi'u casglu ac rwy'n dal i wrando arnyn nhw nawr. Ac ar un adeg, ro'n i mor danbaid o blaid fy artistiaid personol i fel y byddwn i'n gwrando ar bob cerddoriaeth dan haul jyst er mwyn gallu profi nad oedd e hyd yn oed hanner cystal â nhw. Ac ro'n i'n benderfynol y byddai'r gerddoriaeth, a holl naws y cyfnod, yn fy nghadw i'n ifanc fel na fyddwn i byth yn gorfod dweud fod popeth yn 'swnio mor debyg y dyddie hyn'. Ond eto mae'r radio yn y car yn chwarae'r sŵn gitar mwya' diafael a glywais i erioed, ac yn ôl fy ngwybodaeth bitw i o fandiau cyfoes fe allai fod yn unrhyw un o blith hanner dwsin a mwy. Ond dyw'r gyrrwr tacsi ddim fel petai e'n meindio gormod am hyn. Mae ei ben yn dal i symud digon i mi allu gweld ei fod yn symud, ac rwy'n ystyried y posibilrwydd mai sioe er fy mwyn i yw hyn.

Ei fod e'n awyddus i ddangos nad yw e wedi colli awch ei ieuenctid ef, hyd yn oed os ydw i. (Un o fradwyr y Beatles oedd y gyrrwr, heb os.)

Ford Orion gwyn, hen fodel, yw'r car, ac fel y mae gŵr a gwraig, a dyn a'i gi yn dod i edrych fel ei gilydd ar ôl blynyddoedd gyda'i gilydd, felly y mae'r gyrrwr a'i dacsi. Mae ganddo fe wallt sy'n britho, ei radio a'i fiwsig modern; mae gan y car hen beiriant rhydlyd a sticer ar y ffenest flaen sy'n dweud, 'My other car's a Lamborghini'. Ar y ffenest gefn wedyn mae 'na arwydd arall yn addo mai Dave yw 'gyrrwr gorau'r byd'. Mae hi fel petai'r car, a'r gyrrwr hefyd petai'n dod i hynny, yn ceisio'u perswadio'u hunain mai trwy fod yn 'ddoniol', a chwerthin am ben henaint a gwendid y mae eu hosgoi. Unig ganlyniad yr ymgais wan hon, fodd bynnag, yw tynnu mwy o sylw fyth at ddiffygion y car. Dyw hi ddim yn helpu chwaith fod pob tolc yn yr heol yn cael ei chwyddo ddeg gwaith cyn i'r dirgryniadau'n cyrraedd ni. Ac yng nghanol y patrwm hwn o ddirywiad y mae'r gyrrwr ei hun – Dave, fe ymddengys. R'yn ni wedi bod yn gyrru am bum munud erbyn hyn a dyw e ddim yn gwybod yn iawn ble i fynd.

Ond does dim sôn fod Dave am siarad o gwbl. Mae e'n ddigon hapus yn gwrando ar ei fiwsig ac yn arteithio gyrwyr gofalus (drwy yrru reit yn eu cefnau, mynd heibio iddyn nhw fel cath i gythraul a thynnu'n ôl mewn i'r lôn iawn yn syth bìn, gan achosi i'r hen ledi sy'n gyrru frecio'n sydyn ac arafu ymhellach gan fod gymaint o 'sgamps di'gwilydd ar yr hewl dyddie hyn'). Yna, a ni'n aros wrth oleuadau traffig, mae e'n cyfeirio'i lygaid at y drych ac yn edrych i fy llygaid i, fel petai'r tawelwch wedi bod yn rhan o gynllun ganddo i sicrhau rhyw fath o oruchafiaeth, a'i fod e'n mynd i siarad nawr am ei fod *e*'n barod i wneud.

'King's Cross, ie?'

Mae e'n gwybod, felly. Mae e wedi bod yn gwrando ar yr ysgrifenyddes neu pwy bynnag y siaradais i â hi ddoe. Da iawn.

'Y . . . ie. 'Na ni.'

'I'r orsaf, ife?'

'O, ie. Sori.'

'Mae'n iawn, *Squire*, paid â becso. Mynd ar wyliau ife, gweld y bag 'na 'da ti. Lawr i Gaint neu rhywle, neu i Ffrainc ar y Eurostar?'

'Ie . . . na . . . y, ie rwy'n mynd ar wyliau ond rwy'n mynd i Gatwick ar y trên.'

'Gatwick. Hedfan 'te?'

Ew, go dda.

'Unrhyw le neis?'

'Chicago.'

Mae'r gyrrwr yn codi'i aeliau ac yn chwibanu. 'Chicago, *the windy city*. Neis iawn.'

Rwy'n troi i edrych drwy'r ffenest. Dwy' ddim wir eisiau rhyw fân siarad fel hyn, a nawr 'mod i wedi sicrhau bod y gyrrwr yn gwybod ble i fynd, bydde'n well 'da fi gael tawelwch eto. Ond mae'r gyrrwr wedi penderfynu siarad nawr, a gan mai ei sioe ef yw hon bellach does dim pall ar y cwestiynau. Oes gen i berthnasau yno yw'r cwestiwn nesaf. Nac oes. Jyst mynd mas yna i weld y lle, felly? Ie, rhywbeth fel 'na. Aros mewn gwesty? Mae'n dibynnu. Ar beth? Dwy' ddim yn gwbod eto. Rwy'n bur agos at ofyn iddo fe stopio'r croesholi pan mae e'n dweud ei fod yn siŵr y ca i amser da yno beth bynnag a wna i. Rwy'n codi fy

26

llygaid i'r drych ac mae ei lygaid yno, yn disgwyl fy rhai i. Maen nhw'n fy hoelio i am ddigon o amser i wneud i mi deimlo tinc bach o euogrwydd, cyn iddo'u troi'n ôl at yr heol.

Ry'n ni'n teithio yn ein blaenau mewn tawelwch am amser, heb ddim ond y radio, sydd wedi'i dewi rhywfaint ers ein sgwrs, yn murmur yn y cefndir. Mae'r gyrrwr yn estyn i gynyddu'r sŵn wrth i fwletin newyddion gael ei gyhoeddi. Dyw e ddim yn talu sylw gormodol i'r amrywiol farwolaethau a throseddau sydd wedi digwydd, ond yn troi'r sŵn yn uwch eto cyn gynted ag y daw'r newyddion chwaraeon. Mae e'n cyffroi drwyddo, yn gwrando'n astud wrth i'r llais gyhoeddi'r anaf diweddaraf i ryw bêl-droediwr neu'i gilydd, sy'n golygu na fydd hwnnw'n gallu chwarae mewn gêm heno. '*Shit*', meddai'r gyrrwr yn uchel, ac rwy'n teimlo unwaith eto mai er fy mwyn i y mae hyn. '*Bollocks*', ac mae'n amlwg na alla i gadw'n dawel yma.

'Newyddion drwg?' rwy'n gofyn, a dwy' ddim yn llwyddo i guddio fy niffyg diddordeb.

'O *God* ydi. Ti ddim yn dilyn pêl-droed?'

'Y . . . na. Wel mi fydda i'n edrych ar y *Cup Final* a phethe, ond ddim yn rheolaidd.'

'O wel, fydd dim *Cup Final* i ni eleni os na stopwn ni gael yr holl anafiadau hyn. Dyw e ddim yn jôc nawr. 'Na'r trydydd mewn tair wythnos.' Rwy'n cofio wedyn ei fod e'n gwisgo crys Manchester United.

'Chi'n ffan 'te.'

'Jiw, jiw ydw. Wedi bod ers blynyddoedd. A cyn i ti ofyn, ydw, 'wy wedi bod yn Old Trafford, sawl gwaith. A'r hen grys yw hwn hefyd, cyn iddyn nhw gael y coler *two-tone*.'

Do'n i ddim 'ar fin gofyn' o gwbl. Ond mae e'n eiddgar iawn i 'mherswadio i . . .

'Oes, mae 'na lot o bobol sy'n cefnogi nhw achos bo' nhw'n ennill drwy'r amser, ond oes e.'

'Oes. Blydi plant ysgol a pobl sy'n byw yn Plymouth neu Eastbourne. D'yn nhw ddim yn ffans iawn.'

A hyn i gyd gan yrrwr tacsi yn Llundain! Ond, wrth gwrs, dyw e ddim yn cyfri. Mae e'n ei gyfiawnhau ei hun:

'Ddechreuodd popeth pan o'n i'n gweithio ym Manceinion. Adeiladu stad o dai. Aeth cwpwl o ffrindiau a fi i gêm un noswaith ac rwy' 'di bod yn *hooked* ers 'ny.'

Mae e'n fy atgoffa i o fachgen oedd yn yr ysgol gyda fi, a gafodd fenthyg un o fy recordiau ac a oedd, o fewn pythefnos, yn dweud wrth bawb ei fod wedi dod o hyd i fand newydd gwych . . .

Ond *anyway*. O fewn ychydig mae'r sgwrs yn dirwyn i ben, a'r gyrrwr yn teimlo'i fod wedi rhoi crynodeb digonol o'i hanes yn cefnogi Man Utd. Dydw i ddim yn cynnig unrhyw beth arall i'r sgwrs ac mae'r tawelwch blaenorol yn dychwelyd. R'yn ni'n gyrru drwy ardal drefol nawr, yn gwau ein ffordd heibio i geir wedi'u parcio, a'r tacsi'n grwgnach wrth orfod cyflymu ac arafu dan awdurdod traed trymion Dave. Mae hi'n ddiwrnod bendigedig y tu allan, a dwy' braidd wedi sylwi.

Rwy'n fy nghael fy hun yn meddwl eto. Os yw'r gyrrwr yn un o'r bobl fyddai wedi gadael y Beatles i ddilyn y Stones yn y chwedegau, rwy' i'n perthyn i'r grŵp arall. Mae'r sgwrs yn y car wedi cadarnhau hynny. Sawl un o gwsmeriaid Dave, er enghraifft, sydd wedi bod yn ei dacsi fe ar gymal cyntaf taith i rywle ym mhellafoedd byd, a'r daith honno'n fwy o ganlyniad i ddyhead despret nag i feddwl clir, neu awydd syml am wyliau? A phwy ar y daith honno fyddai wedi gallu parhau â'i syniad o gwbl ar ôl ateb ei gwestiynau e'n onest?

'Pam ti'n mynd i Chicago 'te?'

'I geisio atgyfodi rhywfaint o hunanhyder a pharch.'

'*You what*? Ti angen cwpwl o beints, byti, nid rhyw *crap* fel 'na.'

Ac efallai 'mod i'n dod yn ôl at y broblem o wireddu delfryd. Pe bawn i'n cydnabod wrth Dave fy ngwir resymau dros fynd i King's Cross ac i Gatwick ac ymlaen, pwy a ŵyr na fydden i'n sylweddoli, yn y weithred o'u hesbonio, eu bod nhw mewn gwirionedd *yn* chwerthinllyd. Mor chwerthinllyd ag y byddai e'n siŵr o'u hystyried. Ac ai'r ffaith 'mod i'n dal i guddio'r gwir y tu mewn i'm meddwl fy hun sy'n galluogi i mi barhau â'r daith? Mae hyn yn ddigon posib.

Ond am y tro mae'r haul yn gwenu, a'r strydoedd yn edrych fel pe baen nhw'n olygfa mewn ffilm Americanaidd *feel-good*. Ac er 'mod i'n gwybod mai un o fân-bentrefi Llundain 'yn nhw, a'n bod ni ar fin cyrraedd yr hen dai, lle mae'r ffenestri wedi torri, a darnau pren wedi'u gosod lle'r oedden nhw, a'r graffiti 'A.F.C. Kill T.H.F.C' ar hyd y waliau, dyw hyd yn oed hyn ddim yn gallu tynnu oddi ar y sglein newydd sydd dros bobman. Rwy'n agor y ffenest, ac mae'r awel ysgafn yn oeri'r dafnau chwys sydd ar fy nhalcen ac yn gwthio'r gwres llethol drwy'r bwlch. Yn sydyn rwy'n teimlo dipyn yn hapusach, fel petai hyn i gyd yn arwydd cyntaf fy mod i'n gwneud peth doeth wedi'r cyfan. Rwy'n eistedd yn ôl yn y gadair, a'r gwynt ffres yn dal i anwesu fy wyneb. Does ond angen i'r radio chwarae 'California Girls' y Beach Boys nawr ac mi fydda i'n gwybod hynny.

4. Aur y byd

Ond mae'n rhaid i ni adael y fath hapusrwydd (os mai dyna yw e hefyd) am bennod arall, o leiaf. Oherwydd fod y Beach Boys yn gwybod, fel y dylwn i fod wedi gwybod, ac mae'n rhyfedd i mi anghofio hefyd, na allan nhw chwarae tan i ni oresgyn ambell rwystr sydd ar fin codi . . .

Rhyw ychydig funudau ymhellach i lawr yr heol, heibio i'r tai drylliedig a'r gerddi concrit, daw'r hen olygfeydd cyfarwydd i'r golwg: Euston yn gyntaf cyn i ni droi i'r dde a chael y brifysgol o'n blaenau. Ac mae hi'n rhyfedd gweld popeth drwy ffenest car, ar ôl cerdded yr ardal droeon, a chael persbectif gwahanol ar y lle. Mae hi fel petai rhywun wedi tynnu'r olygfa yn ddarnau mân a'i hail-greu wedyn rhyw fymryn yn wahanol. Y mae simneiau'r ysbyty, er enghraifft, sydd y tu ôl i adeiladau'r brifysgol, yn edrych yn fwy rhywsut. Nid 'mod i hyd yn oed yn cofio sylwi arnyn nhw cyn hyn. Jyst gwybod eu bod nhw yno, neu eu gweld heb ystyried y peth. Ond heddiw maen nhw'n fwy nag erioed ac yn gwneud i'r coleg edrych fel roced, neu long ofod mewn ffilm wyddonias rad o'r saithdegau – *antennae*, peiriannau a 'bits yn stico mas ymhobman'. Ac nid y simneiau'n unig chwaith. Mae'r ychydig goed sydd o gwmpas yn wyrddach, y ffenestri'n ddisgleiriach a phopeth, rhywsut, yn ddigon gwahanol i'r atgofion sydd gen i o'r lle i'm gwneud i'n ymwybodol o fanylion unigol unwaith eto.

Ond efallai mai fy nghof sy'n ail-lunio'r darnau mân. Y mae hwnnw'n dweud, er enghraifft, fod yr olygfa hon yn llwm a diflas ar hyd yr amser yr oeddwn i yn y coleg. Mae'r llun yn y cof yn mynnu fod popeth yn llwyd digyfnewid, ond mae'n rhaid fod yna ambell i ddiwrnod yn y flwyddyn honno a oedd, fel heddiw, yn olau a serchus a braf? Rwy'n gwybod hefyd nad oeddwn i ar y pryd yn meddwl fod yr ardal arbennig hon yng Ngogledd Llundain yn arbennig o dywyll ac anobeithiol. Mae'n siŵr 'mod i mewn gwirionedd yn reit hoff o'r lle a bod y cyfnod, yn gyffredinol, yn un eithaf hapus. Yn *eithaf hapus*, cofiwch! Ac felly ar ôl hyn y daeth yr olygfa ddiflas i'm meddwl. Ar ôl hyn y dechreuodd fy offer datblygu lluniau ddiffygio rhywfaint, a rhoi llun terfynol nad oedd yn debyg o gwbl i'r negatif gwreiddiol.

A pham fod fy nghof yn mynnu prosesu lluniau sydd, heb olau'r haul, mor boenus o *under-exposed*? Pam fod y meddwl yn methu'n lân ag atgynhyrchu golygfa syml mewn lliwiau addas? Wel, am fod y broses yn fwy na chymryd *snapshot* syml o le ac amser a thywydd, braf neu fel arall, a phobl yn gwenu'n neis ar y camera. Am fod yna rai pethau wedi'u cymysgu â'r cemegau dadlennu na all Kodak hyd yn oed eu cynnwys ar eu ffilm newydd.

*   *   *

Rwy'n cofio dweud yn uchel wrthyf fy hun:-

'Ti ddim yn athrylith. Ti byth yn mynd i ennill gwobrau am fod y bachgen clyfra yn y dosbarth. Ond ma' gyda ti un peth sydd ddim 'da lot ohonyn nhw, sef Diddordeb. Ti'n licio Daearyddiaeth. Ac achos bo' ti'n

31

lico fe, galli di fod yn dda ynddo fe. Yn well na sawl un mwy clyfar na ti. Dyna dy fantais di. Dyma dy gyfle di.' Rwy'n cofio dweud y geiriau hynny wrthyf fy hun, yn bedair ar ddeg oed, noswaith cyn arholiad daearyddiaeth dosbarth tri. Pedair ar ddeg. A does bosib fod pedair ar ddeg yn rhy ifanc i fachgen wybod, a chydnabod wedyn, ffeithiau mor anferthol â hyn. Does bosib fod pedair ar ddeg yn rhy ifanc i fachgen sylweddoli mai'r ffordd ganol fydd ei ffordd ef o hyn allan. O'm cwmpas ymhobman roedd bechgyn yn dyheu am gael chwarae rygbi i Gymru, yn chwarae'u gêmau, yn esgus mai nhw oedd Gareth Edwards, ac yn credu'n ddi-ffael fod gyrfa ddisglair ac enwogrwydd a mawredd yn eu haros. Nad oedd hi ond yn fater o fod yn ddigon hen i fod yn y tîm, gan fod 'neb dan ugain byth yn chwarae i Gymru'. Ond roeddwn i'n chwilio am un fuddugoliaeth fechan. Yn gobeithio am ychydig bach, bach o lwyddiant. Do'n i ddim hyd yn oed yn gobeithio bod y gorau yn y dosbarth! Ro'n i jyst eisiau plesio fy hunan, am 'y mod i'n dda, neu yn eithaf da beth bynnag, am wneud daearyddiaeth.

Mi fydda i'n meddwl weithiau fod y noson honno wedi bod yn eithaf pwysig ac arwyddocaol, yn drobwynt. 'Mod i wedi sefyll ar groesffordd, a'r heol yn mynd wedyn i ddau gyfeiriad. A 'mod i wedi dewis un o'r heolydd a'i dilyn a chyrraedd y fan hon yn y pen draw. Ond dyw hynny ddim yn wir. Doedd y noson ddim yn drobwynt o gwbl, a doedd 'na ddim math o ddewis yno chwaith. Y cyfan wnes i oedd rhoi crynodeb o'r sefyllfa fel yr oedd hi a cheisio magu rhywfaint o blwc er mwyn llwyddo mewn arholiad nad oedd, yn wyneb popeth, yn hynod o bwysig. Os 'ych chi eisiau gweld y fan lle rhannodd yr heol yn ddwy, ceisiwch esbonio pryd a pham y stopiodd bachgen bach freuddwydio'i freuddwydion bachgennaidd, am grysau cochion a *grand slams* a churo'r Saeson.

Ond dyw bod yn bragmatig ddim yn beth rhy wael, does bosib? Wedi'r cyfan, fe lwyddodd y realydd ifanc hwnnw yn syndod o dda yn ei arholiad daearyddiaeth dosbarth tri. (Er nid yn ddigon da i'w berswadio fod ei 'ddiddordeb' hefyd yn 'ddawn' chwaith.) Ac o'r fan honno fe aeth yn ei flaen i basio mwy o arholiadau daearyddiaeth, ac ambell un mewn pynciau eraill hefyd. Fe basiodd lond llaw o Lefelau O wedyn, ond fe'i derbyniodd bron ag embaras, fel petai e'n methu credu cweit fod hyn wedi digwydd fel canlyniad i ryw arbenigedd ynddo fe. Oherwydd roedd y bechgyn eraill yn dal i ddisgwyl bod yn sêr. Yn cerdded o amgylch yr ysgol a'r parc fel petaen nhw'n berchen ar y byd. Wedi'r cyfan, on'd oedd rygbi wedi gwneud cannoedd o fechgyn tebyg iddyn nhw – o'r un pentrefi, cefndir, dosbarth cymdeithasol â nhw – yn enwog ledled y byd cyn hyn? Ac onid oedd hi'n deg, felly, iddyn nhw ddisgwyl bod yn y ganran honno o'u cenhedlaeth nhw a fyddai'n gadael siop y cigydd, neu'r ffatri, er mwyn rhedeg ar gaeau De Affrica ac Awstralia a Seland Newydd? Oedd, mae'n debyg. Ond yn fwy na hyn, roedd gan y bechgyn hyn uchelgais, a oedd yn rhywbeth na fu gen i erioed. A hyd yn oed pe na bai'r uchelgais yn galluogi iddyn nhw wireddu breuddwyd a rhedeg dan byst Parc yr Arfau i sŵn byddarol y dorf ac ennill buddugoliaeth enwog a chlod cenedl, eto, fe fydden nhw'n gwybod sut beth oedd gosod nod iddyn nhw'u hunain. Ac fe allen nhw wedyn ddefnyddio'r profiad hwnnw er mwyn creu targed arall – un realistig nawr, fel dyrchafiad yn y gwaith neu gar newydd – a'r tro hwn fe fydden nhw'n gallu teimlo'n gynnes braf tu fewn, a bod yn falch o fod wedi cyflawni rhywbeth gwerth chweil. A theimlo fod pethau ddim mewn gwirionedd yn eu llethu, ond fod popeth yn iawn. Nad oedd hi'n deg disgwyl i enwogrwydd byd ddod i ran bechgyn o'r cwm, ond eu bod nhw'n gwneud y gorau ac yn cael y gorau hefyd o'u deunyddiau crai; eu bod nhw'n cloddio am eu bywydau ac wedi cael hyd i wythïen oedd yn broffidiol, hyd yn oed os nad oedd yn rhyw arbennig iawn. Ac anlwc daearyddol yn unig oedd i gyfri am hynny. Gwythïen lo, nid gwythïen aur.

Ond fu gen i erioed uchelgais pendant o unrhyw fath. Bron nad oeddwn i'n teimlo fod dymuno rhywbeth a'm dychmygu fy hun, ymhen blynyddoedd, mewn crys coch, neu lun *contrived* o seremoni raddio, neu'n rhan o olygfa a oedd mewn rhyw ffordd arall yn ddymunol, yn beth hynod o ymhongar a thrahaus i'w wneud; ei fod rhywsut yn temtio ffawd. Yn lle hynny, parhau i gael fy synnu wnes i, wrth i mi basio'r Lefelau O, a digon o Lefelau A i fynd i brifysgol a'm cael fy hun wedyn yn astudio ymysg pobl a oedd, unwaith eto, yn sicr eu bod *nhw* y tro hwn, yn berchenogion y byd. A hyd yn oed yng nghanol yr aur hwn, roedd gwythiennau glo'r cwm yn dal i ddod i'r wyneb. Fel petaen nhw wedi bod ynof i erioed, yn gyfaddawd rhwng y gallu yr oedd rhai pobl yn mynnu ei weld yn fy ngwaith daearyddiaeth (– daearyddiaeth. Ha! Pwy glywodd erioed am ddaearyddwr cyfoethog, llwyddiannus?), a'm tuedd fy hun i ddibrisio pob dim a ddeuai ar fy nghyfyl. Ma' glo wedi'r cyfan yn werthfawr heb fod yn arbennig o ddrud.

Ac felly y mae'r noson honno, 'nôl yn nosbarth tri, yn bwysig wedi'r cyfan. Nid am ei bod hi'n drobwynt neu'n groesffordd, nac yn dyngedfennol o gwbl. Ond am mai dyna'r olygfa sy'n nodweddu'r ffilm gyfan. Y 'But soon, and for the rest of your life', on'd ife?

*   *   *

Dau lythyr.

Un yn dweud fod astudio dosbarthiad cerrig ynysoedd Prydain, gyda sylw arbennig i Fannau Brycheiniog, yn syniad gwych. Gallwn, fe allwn i barhau â'r cynllun, a chael fy nhalu i wneud hefyd.

Yr ail, flwyddyn union bron wedi'r cyntaf, yn dweud fod blwyddyn wedi bod yn amser hir, a bod anghenion newydd wedi codi yn ystod y flwyddyn ddiwethaf nad oedd yn amlwg bryd hynny bla bla bla, a bod ailgloriannu'r sefyllfa wedi bod yn angenrheidiol ac mae'n ddrwg gennym, ni allwn barhau i'ch cynnal yn eich astudiaethau ond yr ydym, wrth gwrs ('wrth gwrs'! Wel rhowch yr arian i fi 'te!), yn dymuno pob hwyl i chi at y dyfodol. *Bugger*. Ac mewn un bore felly, na, un llythyr, un amrantiad pan ddaeth hi'n amlwg nad siec am filiwn o bunnoedd gyda bendith y coleg, ac addewid y byddai yna arian ar gael i mi gyhyd ag y byddwn i ei angen, oedd yn yr amlen, daeth yr holl waith da i ben.

Oherwydd roedd y flwyddyn rhwng y ddau lythyr, chi'n gweld, wedi bod yn gyfnod da. Ddim yn gyfnod gwych, mae'n rhaid dweud, ond yn gyfnod da. Digwyddodd sawl peth bryd hynny na ellir ond eu hystyried yn bethau da. Ac roeddwn i'n hapus am fod pethau'n dda, yn hytrach nag yn wael, neu hyd yn oed

35

yn wych. Oherwydd tra oedd popeth yn mynd yn ei flaen yn ddigon diffwdan, a'r graff yn llinell gyson, yna roeddwn i'n hapus. Cyn belled â bod pethau heb fod yn rhy dda, allen nhw ddim mynd ormod o chwith.

Ond wrth gwrs roedd hyn i gyd yn dibynnu ar arian. Roedd yr ystafell yng ngogledd Llundain, jyst tu ôl i Baynham Street, a'r gegin fach a'r bathrwm rhwng pump, yn dibynnu ar arian, a'r weddw oedd biau'r lle yn ddigon amheus o'r giwed oedd yn byw gyda hi i fynnu'i rent ar ddiwrnod cynta bob mis. Ar ben hyn roedd y ddinas yn llyncu arian: bwyd yn ddrud, cyngherddau'n ddrutach a'r tacsis yn methu aros nes cael mynd â chi adre y ffordd hir. (Ro'n i wedi bwriadu dechrau dilyn pêl-droed, hefyd, jyst i deimlo 'mod i wedi symud o'r cwm, a bod yn gefnogwr brwd i Spurs, tan i mi weld pris eu tocynnau . . .) Ond tra oedd gen i rywfaint o arian, roedd hyn yn iawn, a thrip bach achlysurol i'r Hammersmith Apollo neu rywle yn ddigon derbyniol. Ac roedd bywyd yn mynd yn ei flaen yn neis. Treulio'r dydd yn dosbarthu cerrig, yn breuddwydio am gael gwneud hynny rhyw ddydd yn yr Alpau neu'r Andes; mynd o gwmpas fy mhethau'n bwrpasol, mynd wedyn i'r sinema yn y nos, neu i dafarn neu i ganol y ddinas weithiau, a cherdded ar hyd yr afon yn edrych ar olau'r haul yn cael ei adlewyrchu oddi ar y dŵr a chwibanu *Waterloo Sunset* i fi'n hun.

Ro'n i wedi dechrau teimlo dipyn yn fwy hyderus hefyd. Ac er bod yna ddigon o bobl yn Llundain *yn* cerdded rownd fel tasen nhw'n berchen y lle, eto roedd rhai o'r bobl hyn yn olreit mewn gwirionedd; yn debyg i fi, yn fyfyrwyr cyffredin hyd yn oed, rai ohonynt. Ac felly fe ddes i i deimlo 'mod i'n perthyn yn y fan hon (er na fyddwn i'n tybio am eiliad fod y lle'n perthyn i fi chwaith), ac o dipyn i beth fe ddechreuais i fwynhau fy nghwrs a phopeth arall. Beth bynnag, erbyn hyn ro'n i wedi graddio ac wedi profi hen ddigon o bwyntiau ar hyd y ffordd yma i gyfiawnhau fy sefyllfa. Roedd yr adran hefyd yn eithaf hyderus y gallwn i fod yn werth fy nghael yno, a pham na ddylwn i nawr, ar ôl blynyddoedd o hunanamheuaeth, dderbyn pethau heb ormod o holi pam? Ond roedd popeth, fel rwy'n dweud, yn dibynnu ar arian, ac ar ôl yr ail lythyr hwnnw, dyna'r union beth nad oedd gen i.

*   *   *

Does ryfedd yn y byd wedyn fod pethau wedi suro, a bod y dyddiau da wedi dod i ben, bron cyn iddyn nhw ddechrau. A dyw hi fawr o gysur chwaith pan mai'r gorau y gall tair blynedd o ddaearyddiaeth a blwyddyn o ymchwil ei gael i chi, mewn termau gyrfaol, yw swydd weinyddol mewn swyddfa yswiriant geiniog a dimau *y drws nesa* i'r Swyddfa Cynllunio Trefol.

Ond roedd yn rhaid i mi weithio. Naill ai hynny neu ddychwelyd adre i gyfaddef fod bywyd yn y ddinas wedi bod yn ormod i 'fachgen o'r cwm', ac mai yno y dylwn i fod wedi aros heb erioed goleddu syniadau a oedd mor amlwg 'uwch fy steshon mewn bywyd'. Ac felly fe ddaeth y wâc foreol i'r gwaith mor ddefodol ac mor arferol ag oedd cerdded i'r coleg gynt. Ro'n i hyd yn oed yn gweld yr un bobl ag o'r blaen, ac roedden nhw'n dal i gerdded yr un ffordd ag o'r blaen, eu bagiau wedi'u taflu dros un ysgwydd fel o'r blaen. Ond roedd y trawsnewid wedi bod yn absoliwt. Doeddwn i ddim yn ennill digon o arian i fy nghynnal fy hun yn iawn nawr, heb sôn am gynilo at ddychwelyd i'r gwaith ymchwil, ac at y cerrig a oedd nawr mor ddeniadol ac mor gyffrous â'r un peth arall yn y byd. (Ac mae hynny, mae'n debyg, yn dweud y cwbl. Roeddwn i'n ysu, na, yn gweddïo am gael mynd yn ôl i ddosbarthu cerrig.) Ac felly bob bore fe fyddai'r coleg yn tarfu ar fy llygaid ac ar fy meddwl. Yn edliw i mi bopeth a oedd wedi digwydd yn y flwyddyn, ac yn y blynyddoedd diwethaf. Fe fyddai pob diwrnod yn ddi-ffael, ar wahân i Suliau, ac ambell ddydd Sadwrn, yn dechrau gyda'r atgoffâd fod chwe blynedd ar hugain cyntaf fy mywyd wedi bod yn ddim byd ond crwydro'n ddibwrpas o siom i siom. Nad oeddwn i eto wedi gwneud unrhyw beth gwerth sôn amdano.

Ac felly mae'r olygfa o ffenest y tacsi heddiw'n wahanol i'r un y mae fy nghof innau wedi'i phrosesu. Ond nid 'y mai i yw hynny. Y cemegau, chi'n gweld. Maen nhw'n bethau anodd uffernol i'w puro.

5. 'Home is so sad'

Dyw hi ddim bo' fi byth eisiau gweld na siarad â fy rhieni eto, mae hi jyst yn haws os ydw i'n rheoli'r pryd a'r ble. Maen nhw'n gwbod 'mod i ar ochr arall y ffôn os bydd argyfwng yn codi gyda nhw. A beth bynnag, dyw Mam ddim yn lico ffonio fan hyn. Mae'n ddrud yn un peth, a dyw hi ddim yn lico meddwl 'i bod hi'n 'styrbo unrhyw beth'. (Er, does dim syniad gyda fi beth ma' hi'n credu y bydd hi'n tarfu arno fe os ffonith hi. D'yn ni ddim wedi cael *orgy* yma ers cryn amser.) Mae hi'n dweud, 'Ffona di pryd bynnag ti ishe clywed llais dy fam'. Ac mae hyn yn drefniant bach digon cyfleus. Mae'n digwydd 'mod i eisiau clywed llais fy mam unwaith bob pythefnos fel arfer, a dyw hi ddim yn rhy anhapus â hyn. Mae'n dangos 'mod i'n dal i feddwl amdani hi, amdanyn nhw, yn fwy rheolaidd nag y mae plant sawl un arall y gallai hi eu henwi. A dyw hi ddim fel petai hi'n amau fod y ffaith mai prynhawn dydd Sul y bydda i eisiau clywed ei llais hi gan amlaf, yn od o gwbl.

Ond mae hi'n fwy na phythefnos y tro hwn ac fe alla i ddisgwyl un o ddau ymateb. Naill ai'r hen, hen rwtîn, sy'n ei gweld hi'n esgus siarad â 'nhad (sydd ddim yn agos i'r ffôn o gwbl, gan ei fod e yn yr ardd *bob tro* y bydda i'n ffonio, am ryw reswm):

'O ie. Mae e'n cofio amdanon ni o'r diwedd 'te, Gwyn' [a dyw hi byth yn ei alw e'n Gwyn – Gwynfor yw ei enw iawn – heblaw ar yr adegau hyn]. 'Mae e wedi gadel yr *high life* am eiliad i siarad â'i hen fam. Whare teg iddo fe.'

Neu'r eithaf arall:

'O Daf. Hylô. Ti'n iawn, gwboi? 'Ni ddim wedi clywed wrtho' ti ers sbel. Ti'n olreit? Ro'n ni'n poeni amdanot ti. Ond do'n ni, Gwynfor?' Sydd yn neis, ydi, ond yn dueddol o fynd ar fy nerfau gymaint â'r ymateb sarcastig cyntaf. A dyw Mam ddim yn gallu siarad ag un person yn unig ar y ffôn chwaith. Mae'n rhaid iddi droi'r peth yn sgwrs â'r teulu cyfan. Sy'n ei dyrchafu hi wedyn yn unig negesydd y teulu, gan fod 'y nhad, os oes unrhyw beth gyda fe i'w ddweud, yn cyfathrebu *via* fy mam. (Mae'n bosib hefyd mai cynllun yw hyn i osgoi unrhyw dawelwch, gan fod yn rhaid i alwad ffôn fod yn llif siarad parhaol i fy mam. Mae'n bosib ei bod hi'n ofni y daw dydd pan ffonia i a bydd dim gyda ni i'w ddweud. Os digwydd hynny gall hi dorri'r tawelwch drwy ddweud 'Aros funud. Ma' dy dad yn trio dweud rhywbeth. Sori. Be chi'n weud nawr, Gwynfor? 'Wy'n trio siarad â Dafydd, w.' A bydd y tawelwch wedi'i guro wrth iddi hi ddechrau cwyno wedyn mor ansensitif y mae fy nhad, mor hunanol. Fe, fe, fe. Neb arall yn bwysig byth.)

Beth bynnag, mae hi wedi bod yn dair wythnos ers i fi ffonio ddiwethaf. *Tair wythnos gyfan*, ac fe allwch chi fentro fod un o'r ddau opsiwn uchod yn fy aros ar ochr draw'r lein. (Mi fyddai'n well gen i gael ymateb rhif 2 heddiw. Mae hwnnw bob amser rhywfaint yn haws dygymod ag ef, hyd yn oed os yw'n boen. Ac o leia fe alla i ddweud 'mod i wedi bod yn gweithio *mor* galed . . .) Ond rwy'n barod am unrhyw un o'r ddau. Mae gen i gynllun arbennig heddiw.

'Hylô Mam. Grandwch, sori bo' fi ddim wedi ffonio ers tair wythnos ond ma' newyddion gyda fi i chi.' Ma' 'newyddion' gwirioneddol fel arfer yn beth digon prin yn ein sgyrsiau ac rwy'n gobeithio, felly, y bydd yr addewid hwn yn ddigon i wneud iddi anghofio ei bod hi'n grac. Rwy' hefyd wedi gwneud yn siŵr 'mod i wedi dweud fy nweud gyntaf, cyn iddi hi gael ei chyfle hi. Ac ma'r ddau hyn gyda'i gilydd, triciau'r blynyddoedd meithion, confensiynau'r ddyfais bron, yn bownd o weithio.

'O . . . ie . . . iawn. Paid â becso. Ond r'yn ni'n poeni amdanot ti, ti'n gwbod. *Anyway*, cer 'mlan. Pwy newyddion sy gyda ti 'te?'

'O na, na. Shwd 'ych chi gynta. A Dad. Ydi e dros y pwl dwetha 'na?'

'Odi, jiw jiw. Mae e mas yn yr ardd. Gwed beth sy gyda ti i 'weud o.'

Perffaith, hyd yn hyn. Allen i ddim fod wedi disgwyl gwell.

'Olreit. Wel y rheswm 'wy ddim wedi cael gormod o amser yn ddiweddar yw bo' fi 'di bod yn gweithio oriau hirach nag arfer. O'dd job fawr 'da ni erbyn wythnos diwetha. Ac o'dd y bòs mor *impressed* gyda fi ar ôl i fi weithio'n hwyr, mae e 'di gofyn i fi fynd i America ar ran y cwmni. I gynhadledd arbennig. Maen nhw'n anfon dau gynrychiolydd allan, a fi yw un ohonyn nhw! Grêt, ife!'

Mae 'na dawelwch ar ochr arall y lein nawr, fel petai Mam ar fin dweud wrth Gwynfor am fod yn dawel iddi hi gael siarad ar y ffôn. Ond sioc gwirioneddol yw hyn. Mae pump eiliad cyfan yn mynd heibio.

'Mam? 'Chi 'na?'

'Odw, odw. Jiw, jiw.'

'Chi 'di cael sioc, Mam.'

'Odw . . . wel . . . y . . . pryd ti'n mynd 'te?'

'O, mewn pythefnos. Y cwmni sy'n talu – *flights*, gwesty a maen nhw'n rhoi *show* 'mlân i ni pan gyrhaeddwn ni.'

Mwy o dawelwch wedyn, ond erbyn iddi siarad eto mae hi wedi cael gafael iawn ar y sefyllfa ac yn gwybod yn union beth i'w ofyn.

'Am faint ti'n mynd? Ydi'r gwesty'n mynd i fod yn neis? Cofia di bo' ti'n 'neud iddyn nhw dalu am westy *five-star* i ti nawr. O's pwll nofio yna?'

Mae Mam wedi dod dros ei sioc yn llwyr. Mae hi wedi tiwnio'i meddwl ac yn aros nawr am y newydd a fydd o werth iddi. Mae hi eisiau gwybod pob manylyn, nid am fod ganddi ddiddordeb ysol yn fy nhaith, ond er mwyn iddi eu cofio a'u hailadrodd wedyn, mewn cwmni dethol. Ac mae hyn yn gwneud fy nhasg i dipyn yn haws. Dyw Mam, ar y gorau, ddim eisiau gwybod mwy na 'mod i'n iawn, fod y gwaith yn iawn, a 'mod i'n llwyddiant. Ei mab hi, yn gweithio ac yn byw'n gyfforddus yn Llundain. Dyw hi ddim eisiau gwybod unrhyw beth i'r gwrthwyneb, a does dim pwynt dweud wrthi, felly. Erbyn hyn mae gen i fflat fach neis mewn ardal lewyrchus ac rwy'n edrych ymlaen at newid y car ym mis Awst. (Mae'r hen un, chi'n gweld, yn ddwy flwydd oed bron.) Rwy' i'n hapus, ac mae hi'n hapus, a gweddill y cwmni dethol gyda hi. A dyw heddiw'n ddim gwahanol i unrhyw alwad ffôn arall. Sy'n golygu fod dweud celwydd mor hawdd heddiw ag y mae unrhyw bryd arall. Yn haws, os rhywbeth, oherwydd does dim rhaid i fi feddwl am atebion i gwestiynau bach

42

lletchwith fy mam. Does dim rhaid i fi guddio'r ffaith
'mod i'n hedfan i Chicago, hyd yn oed, er mwyn
osgoi'r holi sy'n bownd o ddigwydd os dyweda i'r enw
hwnnw. Oherwydd wnaiff Mam ddim hyd yn oed gofyn
i ble yn union rwy'n mynd. Dim ond i'r gwesty fod yn
foethus a fi'n cael popeth am ddim, fe fydd Mam yn
hapus ei gwala.

*   *   *

Ond yna ma' 'na rhywbeth yn digwydd nad yw yn y
sgript o gwbl, ac o'r herwydd mae e'n rhywbeth nad
ydw i'n barod amdano o gwbl. Mae Mam yn dweud,
'Ro'n i'n mynd i ffonio ti cyn diwedd yr wythnos, fel
mae'n digwydd. Ma' newyddion gyda fi hefyd.' Dau
ddarn gwahanol o newyddion. Y mae hyn, does bosib,
yn ormod i un sgwrs ffôn.

'O ie. Beth?' Rwy'n petruso yn y fan hon, yn
dychmygu pob math o olygfeydd posib: gall e fod yn
'newyddion' yn ôl diffiniad fy mam o'r gair – y prifathro
lleol wedi'i ddal gyda merch un ar bymtheg oed, neu ŵr
Beti wedi'i gadael hi eto, am y pedwerydd tro, y math o
hanes sy'n gwneud bywyd mewn 'pentref cysurus, agos-
atoch' *mor* werth chweil. Neu fe all fod yn rhywbeth
sy'n ymwneud yn uniongyrchol â fi. 'Newyddion i fi'
ddwedodd fy mam. Ac mae'r posibilrwydd hwn yn
dipyn mwy brawychus. Rwy'n gweld y rhannau hynny
o'r gorffennol y byddai'n well gen i eu hanghofio:
dadleuon plentynnaidd am bethau dibwys, a minnau'n
bennaf plentyn ynddyn nhw, ac un olygfa'n arbennig,
wrth fwrdd cinio, a thawelwch angheuol yn syrthio dros
bobman. Ma' Mam wedi gweld ei mam hi ... Ond

rwy'n sylweddoli wedyn, wrth gofio'r tawelwch llethol hwnnw, nad oes gen i ormod i boeni amdano. Mae'n siŵr nad yw newyddion fy mam yn fwy na marwolaeth un o bobl y pentre yr oedd disgwyl iddyn nhw fyw am byth. A thra fod hyn yn ddigon trist ynddo'i hun, eto dyma gonglfaen bodolaeth fy mam. Mae hi fel petai hi wedi'i hyfforddi i glywed am farwolaethau, ac i adrodd yr hanes amdanynt.

'Ie, newyddion drwg, yn anffodus,' ac fe allech chi jario fy rhyddhad a'i werthu fe fel tarth aromatherapi, gan mor bwerus ydyw. Marwolaeth yw e wedi'r cyfan! Jim Jones neu Tomos Thomas wedi cicio'r bwced, wedi 'pego mas' o'r diwedd. *Grief mode.*

'O na, pwy?'

'Ti'n cofio mab chwâr dy hen fam-gu. Joseff. Dy hen gefnder, os taw dyna'r enw iawn ar y berthynas hefyd. Fe. Mae'n bosib bo' ti ddim yn 'i gofio fe.'

'Y . . . ma' 'na ryw frith gof 'da fi . . . y . . . tal, sgwâr, gwisgo dillad dydd Sul drwy'r amser.'

'Ie, 'na ti. Jo Bocsys o'n nhw'n 'i alw fe. O'n i ddim yn meddwl bydde ti'n cofio. *Anyway* ma'r angladd fore dydd Llun nesaf, yn y *crem*. Bydd y teulu i gyd yna a bydde fe'n neis 'sa ti'n dangos dy wyneb.'

'Ie, ie olreit.' Rwy'n flin 'mod i wedi trin y peth mewn ffordd mor wamal erbyn hyn. Ac er nad ydw i'n credu yn y busnes 'Each man's death diminishes me' yna, eto mae'r ffaith 'i fod e'n aelod o'r teulu yn haeddu rhyw fath o gydnabyddiaeth. Mae e, wedi'r cyfan, yn hanu o'r un *pangea* â fi (ac ma' daearyddwyr yn gwybod tipyn am *pangeai*). 'Pryd chi moyn i fi ddod 'nôl? Galla i ddal y trên bore dydd Sul a bod gyda chi erbyn canol y prynhawn.'

'Iawn. Ond beth am y gwaith? Bydd rhaid i ti gael cwpwl o ddiwrnodau off.'

'O peidiwch becso am hwnna, Mam. Ma'n nhw'n byta mas o'n ddwylo i yn y swyddfa, dyddie hyn.'

6. Hmmm . . .

Ond daw dydd Sul ac mae'n ymddangos fod y cwpwl o ddiwrnodau hynny *yn* broblem. Yn broblem eithaf annymunol hefyd. Nid am ei bod hi'n anodd trefnu dau ddiwrnod i ffwrdd o'r gwaith. Dyna'r rhan hawdd. Rwy' i mewn gwirionedd yn 'gorffwys' ar hyn o bryd. Na. Byddai'n well gen i beidio mynd i'r angladd o gwbl. A tase hi ddim am y ffaith fod Mam wedi fy arwain i gyflwr lled-edifeiriol ar y ffôn, mae'n siŵr y byddwn i wedi cael hyd i esgus campus – ddim eisiau gofyn gormod gan y bòs, a fi ond newydd ddod i'w sylw fel gweithiwr da, neu debyg. Ond fel ag y mae hi nawr, mi fydda i'n dychwelyd i'r cwm ac yn gweld degau o bobl, cannoedd os yw'r teulu i gyd yn mynd i fod yno, nad ydyn nhw wedi bodoli am flynyddoedd ond yn y cilfachau hynny yn fy nghof sy'n rhybuddio llongwyr gofalus i gadw'n glir. A bydd yn rhaid i mi fod yn siŵr o fy stori hefyd, a'i hailadrodd hyd syrffed, ac esbonio bod y car yn y garej a bod y trên, beth bynnag, yn hwylusach o lawer ar gyfer teithiau hir. A bydd yn rhaid i mi olchi dillad cyn mynd hefyd, gan nad yw dynion busnes llwyddiannus yn ymddangos ar yr achlysuron hyn yn eu hen drywsus ac mewn crysau-T Rolling Stones.

Ac yn y fan hon rwy'n gofyn i mi fy hun, yn syml, pam? Pam yr holl gelwydd? Pam nad jyst dweud o'r cychwyn fod pethau ddim wedi digwydd fel yr oeddwn i wedi gobeithio y bydden nhw. Fy mod i mewn gwirionedd yn crafu byw (nawr yn enwedig, ar ôl cynilo ers oesoedd at y daith hon. Blydi hel, ma' dal y trên 'nôl adre, hyd yn oed, yn achosi tolc sylweddol yn fy nghyfrif). Fydden i ddim y cyntaf i fod wedi ffaelu â chyrraedd pen draw ei obeithion. A pham dweud hanner y gwir am America wrth fy mam? Pam dweud o gwbl? Fyddai hi ddim callach tasen i'n treulio blwyddyn yno, dim ond i fi ffonio'n achlysurol. Na. Mae hi'n amlwg erbyn hyn fy mod i'n dioddef o salwch meddyliol. ('Does dim angen i chi boeni o gwbl, Mr Gilley. Mae naw deg y cant o fy nghleifion yn ceisio creu byd ffantasi iddyn nhw'u hunain. A dweud y gwir fe fydden i'n synnu tasech chi *ddim* yn ceisio gwireddu'ch delfrydau drwy gyfrwng perthynas, neu berthnasau, celwyddog. Mae hyn, fe alla i'ch sicrhau chi, yn beth cyffredin. Mewn termau seicdreiddiol, bron nad ydych chi'n holliach.') Does 'na'r un ffordd arall o ddehongli'r peth. Rwy'n dweud celwydd fel tasen nhw ar fin mynd mas o ffasiwn, yn niwrotig, a jyst tame' bach, bach yn ddigalon.

7. 'He who is tired of London . . .'

Ac felly rwy'n eistedd ar y trên yng ngorsaf King's Cross, ac yn cofio'r adeg pan oeddwn i'n blentyn, pan oedd taith ar drên yn beth prin; yn beth i'w fwynhau, yn wobr. A dyma fi nawr yn cael dwy daith, tair os 'ych chi'n cyfri'r *return* o adre fel taith ynddi'i hun, o fewn pythefnos. Mae'n rhaid 'mod i wedi bod yn fachgen neilltuol o dda yn ddiweddar.

*   *   *

Mae 'na rywbeth am fod ar drên sy'n gwneud i rywun deimlo'n bwysig. Neu rywbeth am fod ar drên sy'n gwneud i mi deimlo'n bwysig, beth bynnag. (Ro'n i wastad yn casáu yr *home counties* yn y coleg oedd yn mynnu galw 'one' arnyn nhw'u hunain, a dyma fi nawr yn cwympo i'r un trap â nhw. Ych.) A gorsafoedd hefyd. Rwy'n hoffi'r gorsafoedd trên, yr aros am drên a'r crwydro o un trên i'r llall, gymaint â'r teithio ei hun. Rwy'n hoffi gweld trenau eraill yn cyrraedd yr orsaf ac yn mwynhau gweld y bobl yn camu oddi arnyn nhw gyda'u bagiau a'u ffwdanau i gyd. Fy hoff daith ar drên yw un sy'n dibynnu ar newid trenau hanner ffordd. Rwy'n cofio mynd i Gaer-grawnt flynyddoedd yn ôl ac roedd honno'n drip. Trên i Lundain ac roedd 'na drên i'n cludo i'r trên nesaf hyd yn oed. Mae'n rhaid i daith drên dda, felly, gynnwys o leiaf ddwy ran, ac un o'r rheiny'n danddaearol os yn bosib.

Ond pam ydw i'n cael y fath fwynhad o drenau? Dwy' ddim, wedi'r cyfan, yn codi ben bore i fynd i'r *siding* agosaf i nodi rhif y *Royal Mail Express*, nac yn treulio gweddill y diwrnod wedi hynny yn brolio'r ffaith. Rwy' jyst yn lico teithio, a theithio ar drenau. Ac rwy'n hoffi'r ddelweddaeth sy'n perthyn i drenau. Y golygfeydd mewn hen ffilmiau: Cary Grant yn sleifio ymaith yn ei gompartment, a'i gariad yn ffarwelio ag ef ar y platfform. Hi'n cerdded, yna'n rhedeg ar ôl y trên, cyn cael ei chuddio ym mlanced stêm yr hen injan. A'r mwg ddim yn ei rhyddhau hi nes bod y trên wedi hen adael yr orsaf. Mae gorsafoedd yn llefydd lle ma' pethau'n digwydd. Yn fannau ag iddyn nhw bwrpas, ac nid jyst o ran mynd o A i B. Ydyn, mae gorsafoedd yn ddyfeisiau cymdeithasol o bwys. Maen nhw'n ein hatgoffa ni, sori, yn fy atgoffa *i*, o'r grymoedd angerddol sydd y tu mewn i mi. Mae pobl yn eu gadael a phobl yn eu cyrraedd. Pobl yn ffarwelio yno ac yn croesawu'i gilydd wedyn. Mae gorsafoedd yn llefydd i deimlo'ch gwerth eich hunan. Yn llefydd i fod yn llawen ynddynt, neu i ddigalonni; ond yn bennaf o ddigon, yn llefydd i *fod* ac i *fodoli* ynddynt, a dyna sy'n bwysig. A hyd yn oed os yw'r achlysur yn un trist – Cary Grant yn ffarwelio â'i gariad, neu fam gyffredin yn ffarwelio â mab – eto, mae gorsafoedd yn gallu'ch perswadio chi fod bywyd yn werthfawr. Os oes gennych chi achos tristáu, wel ma' da chi hefyd achos i lawenhau. Os 'ych chi'n drist ych bod chi'n gorfod ffarwelio â'ch cariad yno, fe allwch chi hefyd fod yn llawen ei bod hi'n ddigon pwysig i chi deimlo'i cholli. Ac os allwch chi ddweud eich bod chi'n gweld eisiau rhywbeth, yna mae hynny'n cyfiawnhau popeth on'd ydi? Os oedd gennych chi gariad oedd yn ddigon o bwrpas i'ch bywyd i chi dorri calon dros ei cholli, yna ma' 'da chi bwrpas eto: sef ei chyrraedd hi eto. Dychwelyd o'ch trip busnes, neu o'ch ymweliad blynyddol â'r teulu, yn ôl i'w breichiau hi, i'r un orsaf wythnos union wedyn. Ydw, rwy'n lico gorsafoedd. Maen nhw'n fy nghysuro.

Ond mae 'na resymau eraill dros hoffi gorsafoedd hefyd. Achos dyw hi ddim yn bosib i bawb, a fi yn arbennig, ffarwelio ag enaid hoff bob tro y bydda i'n gadael, a'i chael hi eto, fel petai hi ddim wedi symud gewyn ers fy ngadael, ar yr un platfform i'm croesawu i nôl. Dyw'r fath dynerwch, y cariad nad yw'n ildio, ddim yn bosibilrwydd realistig bob amser. (Rhyw saith gwaith mewn deg yn unig, yn ôl fy mhrofiad sarcastig i.) Ac felly mae'n rhaid cael triciau eraill i ddifyrru fy natur ramantaidd.

Fe fydda i'n meddwl ar yr achlysuron hyn fy mod i a'm cyd-deithwyr yn rhannu un elfen nad yw'n cydnabod statws nac arian na chyfoeth. Ein bod ni i gyd yn perthyn i frawdoliaeth unigryw y teithwyr. Ein bod ni'n un; fod ein profiad cyffredin o deithio, o fod eisiau cyrraedd man arall, yn ein clymu ni rhywsut, a'n bod ni i gyd yn rhannu antur â'n gilydd. Os oes damwain yn rhwystro'r trên rhag mynd trwy dwnnel Hafren, er enghraifft, yna r'yn ni gyd yn yr un picil, a'n problemau unigol – cyrraedd y gwaith mewn pryd, bod yn hwyr i gwrdd â rhywun – yn diflannu dros dro, ac yn troi'n broblemau i'r llwyth, i'r fintai gyfan. Ac mae pawb wedyn yn dibynnu ar ei gilydd. Un yn penderfynu mynd ar sgowt i geisio cael gwybodaeth gan y gard, un arall yn diddanu a chynnal y grŵp gyda'i straeon am ei ddyddiau'n dringo yn yr Himalayas pan aeth tair wythnos heibio cyn i neb sylweddoli eu bod ar goll heb sôn am geisio'u hachub. Un arall wedyn yn dosbarthu te o fflasg sydd wedi'i baratoi, yn ôl pob tebyg, at yr union argyfwng hwn, ac yn y blaen. Mi fydda i'n hoffi meddwl am ddynion fel anifeiliaid. Fel creaduriaid greddfol, yn ymateb i'r argyfwng o safbwynt lles y llwyth; pob un a'i rôl arbennig a phob un yn ei dderbyn heb gwestiynu, fel gwenyn. Ac ma' hon, fe gytunwch, yn dipyn o ddelfryd ramantaidd. Yn ail eithaf da i'r olygfa ffarwelio-mewn-gorsaf archdeipaidd. Ac fel y gyntaf, ma'r olygfa hon hefyd yn fy nghysuro. Mae'n syniad y galla i ddibynnu arno i fy nghynnal yn ystod y daith a rhoi sylfaen dda i mi ar gyfer cyrraedd y pen draw, a mentro eto i'r byd y tu allan i'r orsaf, lle ma'r jyngl yn hollol ddilywodraeth, a'r anifeiliaid fel petaen nhw wedi dianc o sw, wedi colli'u greddfau anifeilaidd y tu ôl i'r barrau haearn. Ac am yr awr, dwy awr hynny, mae'r trên yn teimlo fel bywyd go-iawn. Yn gwneud i mi deimlo mai fel hyn y dylai hi fod, ac mai actio, neu ymddwyn yn ddigymell beth bynnag, y mae'r byd tu allan. Rwy'n edrych o fy ffenest ac yn gweld bywyd. Yn gweld yr eithafion: y slymiau, y fflatiau uchel, ffiaidd ger Paddington gyda'u balconïau pitw. Y nodweddion a oedd i fod i berswadio'r trigolion eu bod nhw'n mynd i le dethol. ('Spacious two bedroomed studio flat, boasting superb views and attractive balcony'. Golygfeydd gwych, os 'ych chi'n lico gweld dillad y fflat drws nesa'n sychu.) A bywydau ar ben ei gilydd, yn ymaflyd â'i gilydd am le ac am sylw. Ond rwy'n gweld y caeau hefyd, ymhen deng munud, chwarter awr, ac yn gweld yr ochr arall: y coed, y lliwiau, natur. A bron nad oes angen slymiau Llundain i ddangos o'r newydd mor brydferth y gall pethau fod; mor swynol, mor ddirwystr. Rwy'n hoffi'r trên am ei fod yn dangos y gwahanol gamau. R'yn ni'n gweld y broblem ac yn gweld yr ateb.

Ond heddiw dwy' ddim cweit mor ymwybodol o ddilysrwydd y dyheadau rhamantaidd hyn. Mae hi fel petai pymtheg mlynedd a mwy o gerdded strydoedd Llundain yn ddiwyneb hollol wedi f'atgoffa fod y trenau, er gwaetha'u hwylustod trosiadol, yn gorfod dychwelyd eto i'r dref ar ôl eu trip ysgol Sul yn y wlad. A'n bod ni'n mynd i ddod ar draws y tai pitw a thruenus gyda'u trigolion tebyg eto. (Y bobl nad 'ych chi byth yn eu gweld nhw o'r trên, fel tasen nhw'n cywilyddio wrth eu tai a'u bywydau, ac yn cuddio o lygaid busneslyd y trenau, rhag iddyn nhw gael eu cysylltu â'r fath dlodi.) A fydda i byth yn ystyried hyn ar y trên fel arfer. Dim ond yn ei dderbyn fel rhywbeth anochel, fel deffro, pan ddaw o'r diwedd. A fydda i byth chwaith yn ystyried y posibilrwydd fod y bobl yr wyf i'n digwydd rhannu cerbyd â nhw yn unrhyw beth ond casgliad o unigolion diwyneb hefyd. Estyniad o'r byd mawr, nid dihangfa rhagddo. Ond rwy'n meddwl y pethau hyn heddiw. Ac yn meddwl hefyd ei bod hi, mewn gwirionedd, yn eithaf twp i hyd yn oed geisio anghofio tueddiadau sydd wedi'u cysegru'u hunain yn fy mywyd bellach; ac anwybyddu'r diflastod llethol jyst achos 'mod i mewn gorsaf, ac ar drên ac mewn amgylchiadau sydd, oherwydd rhesymau hanesyddol, a ffantasïau Cary Grantaidd am yr hyn y dylwn i fod wedi bod, yn rhai dymunol i mi.

*   *   *

A dyna pam 'y mod i nawr yn cydio mewn papur, neu'n mynd i'r toiled am y seithfed tro mewn hanner awr, neu'n ceisio penderfynu pa un yw'r dyn yr ochr arall i'r bwrdd yn siarad i ffôn symudol go-iawn, neu'n esgus gwneud gyda thegan bach digon realistig. Dyna pam 'y mod i'n gwneud rhywbeth, unrhyw beth heblaw edrych allan drwy'r ffenest. Oherwydd os aiff fy llygaid i gyfeiriad y caeau sy'n chwyrlïo heibio inni nawr, yna mae fy meddwl yn siŵr o'u dilyn. A thra mai peth braf fyddai hyn fel arfer, erbyn hyn dwy' ddim yn hyderus y gallwn i wrthod cydnabod – hyd yn oed yn fy meddwl, yn dawel fach i mi fy hun – nad yw'r darlun prydferthaf, mwyaf delfrydol o gaeau clytwaith a'u harmoni sefydlog, yn ddim ond cynnyrch meddwl sydd wedi bod yn benderfynol, am lawer gormod o amser, i'w dyrchafu nhw felly. Rwy' wedi cael llond bol ar Lundain. A does dim pwynt ceisio esgus mai tristwch (neu euogrwydd) oherwydd yr angladd yw gwreiddyn y peth. Ma' byw yno fel edrych ar un bennod o opera sebon drosodd a throsodd. Ma'r gwylio'n troi'n broses anymwybodol. Yn y diwedd ma'r peth wedi treiddio mor bell i'ch isymwybod fel eich bod chi'n cofio pob gair gan bob cymeriad, yn cofio pob sefyllfa, yn gallu adrodd trefn y golygfeydd neu enwi bob *shot* gan bob camera. A hynny heb fwynhau'r rhaglen, na bod yn ymwybodol o beidio â'i mwynhau hi chwaith, na theimlo dros y cymeriadau mwy na tasech chi heb erioed eu gweld. Ac ma' byw yn Llundain yn gwneud i mi deimlo mai hyn yw'r norm. Fod operâu sebon yn cael eu cynhyrchu ymhob tŷ ymhob stryd ymhob tref ledled y wlad. A tasen i wedi byw yma gydol fy oes, Duw a ŵyr sut siâp fyddai arna i erbyn nawr.

Ond mae gen i ddwy gynsail y galla i gyfeirio atyn nhw yn y fan hon, sy'n profi nad yw bywyd yn opera sebon ym mhobman. Yn y gorffennol mae e'n ddrama, yn gomedi Shakespearaidd – h.y. comedi sy, fel arfer, ddim yn hynod o ddoniol o gwbl ond yn llwyddo i aros ar yr ochr iawn i'r ffin drasig. A 'nôl yn y cwm wedyn, ma' bywyd yn felodrama pur; yn llawn dop gan ddigwyddiadau stoc a chymeriadau cyfarwydd. I'r fan honno r'yn ni'n mynd nesa. I fyd y sgandal a'r stori fawr, i fyd fy nheulu.

*   *   *

Mae'r orsaf agosaf i'r cwm rhyw saith milltir i ffwrdd. Sy'n golygu fod rhaid i 'nhad ddod â'r car i 'nghasglu i o'r trên. (Un o'i hoff areithiau: 'Wrth gwrs, yn 'y nyddie i o'dd pawb yn iwso'r trenau, a gorsaf ymhob pentre bach a'r bechgyn yn mynd i'r ysgol arnyn nhw. O'ch chi ddim yn gallu cer'ed hanner milltir heb weld steshon. Ond 'na fe. Ma'r o's wedi newid'. Odi, Dad, yn wahanol i chi. R'ych chi'r un peth yn gwmws. Ac fe alle trenau gael eu disodli gan longau gofod fydde'n eich cludo chi i stepen y drws ffrynt o unrhyw le yn y byd a fyddech chi'n dal i daeru du yn wyn bo' pethau'n well flynydde 'nôl.)

'Shw' ma' Gwynfor, 'te?' Rwy'n gwneud ymdrech i ddechrau pethe ar nodyn ysgafn.

'Dafydd.' Mae 'nhad yn nodio'i ben wrth fy nghyfarch, ac yn cymryd fy mag, mewn defod symbolaidd, theatrig. 'Ga' fi fynd â dy fag di.'

'O, diolch yn fawr. Shw' ma' Mam gyda chi?'

'Lle' dda.'

'O gwd, gwd.'

R'yn ni'n croesi'r trac ar yr hen bont, lle'r arferai'r bois chwarae. Roedd bechgyn bryd hynny'n cael eu tynnu at orsafoedd fel petai yna rym cudd yn eu rheoli. Rwy'n cofio gwneud yr un peth ar y bont yn ein gorsaf ni, yn y pentre. Ac fe fyddech chi'n meddwl, a ninnau'n blant y genhedlaeth ddiwethaf, mai nodi rhifau'r trenau fyddai lled ystod ein mwynhad. Neu aros i'r injan fynd o dan y bont a rasio i lawr y grisiau cyn i'r cerbyd olaf adael yr orsaf. Ond na. Rwy'n cofio prynu *chips*, tsips, o siop Franco yn unswydd ar gyfer eu taflu at y trenau. Roedd taro'r injan yn ddeg pwynt, cerbyd dosbarth cyntaf yn saith, cerbyd cyffredin yn bump a fan y gard yn ddau. 'Na gryts drwg, ife. A dyw'r bont yma, yn ôl ei golwg hi, ddim wedi newid o gwbl ers 'ny. Dim ond fod ambell enw newydd, a dyddiadau diweddarach, wedi'u sgathru yn y paent.

Dyw 'nhad ddim yn un am fân siarad, hyd yn oed pan 'i fod e'n hapus – sy fel arfer yn digwydd unwaith, neu ddwy falle, mewn blwyddyn – ar ddechrau'r tymor *azaleas* ac weithiau pan ma'r tîm rygbi lleol yn chware'n dda. Does 'da fe ddim diddordeb yn nhîm Cymru, dim ond ym mois y cwm, ac fe allen nhw ddewis tîm o ddoncis i gynrychioli'r wlad (sydd, yn ôl yr hyn maen nhw'n ei ddangos ar newyddion Llundain, ddim yn rhy bell o fod yn wir), a fydde 'nhad ddim yn poeni am eiliad. Dim ond fod y bois yn gallu ca'l nos Fercher yn rhydd, a newid shifft nos am fore, er mwyn iddyn nhw allu ymarfer lawr y Rec. Does dim pwynt hyd yn oed trio siarad â fe nawr felly. Ma'r tymor rygbi wedi hen orffen, a'r un newydd ddim yn hanner digon agos i gyfiawnhau ei drafod, a'r blodau wedi cael haf bach digon llwm hefyd. Beth bynnag, cyn bo hir byddwn ni'n cyrraedd y car, sydd wedi'i barcio y tu allan i Woolworths yn y dre, a does dim ots pa mor bwysig na pha mor ddiddorol na pha mor dyngedfennol fo sgwrs, wnaiff 'nhad ddim dweud gair yn y car.

Ac rwy'n cofio Mam yn bygwth ei adael unwaith, gan mor bryfoclyd oedd yr arfer hwn iddi. Ond chware teg i 'nhad. Pan gawson ni gar gynta, 'nôl ar ddiwedd y chwedegau, bydde fe'n gorfod gyrru Mam i bobman. I siopa, i weld y teulu, a oedd yn fwy niferus bryd hynny na nawr hyd yn oed, neu jyst am 'reid', iddi hi gael ei gweld o amgylch y dre mewn car, yn edrych ar bawb fel tase hi'n frenhines. A bydde hi'n llawn ffwdan drwy'r amser: yn dweud sut y bu i hon-a-hon ei gweld hi yn ei char, a sut y bu iddi hi adrodd hanes Gwynfor yn ei dreifio hi i Borthcawl. A tase 'nhad yn ateb o gwbl, yna fe fydde Mam yn dechre wedyn ar ryw lith arall oedd ganddi, am y bwtsiwr neu'r cemist. A thrwy empiriaeth ofalus, a'r ffaith fod ceir a gyrru yn bethau newydd yn y cyfnod hwnnw a chanolbwyntio felly yn beth, o, hollol angenrheidiol, fe welodd fy nhad gyfle i roi taw arni. Ond tra mai cynllwyn oedd hyn i ddechrau (h.y. rwy'n credu mai cynllwyn ydoedd. Mae'n bosib ei fod e *yn* canolbwyntio'n ffyrnig ar yrru'n ofalus), fe ledodd yr arferiad, nes ei fod e'n gwrthod siarad â neb yn y car, os oedd fy mam yno neu beidio. A dyw e ddim yn mynd i dorri arferiad deng mlynedd ar hugain heno, jyst achos bo' fi wedi dod adre am ddau ddiwrnod. Tasen i'n dod adre i reoli'r tîm rygbi, mae'n bosib y bydde ganddo fe air neu ddau i fi. Ond ddim heno.

Ac os yw Dad yn gyrru'n dawel, mae e hefyd yn gyrru'n araf. Sy'n golygu fod y saith milltir adre yn daith bum munud ar hugain i ni. Mae e'n mynnu mynd rownd pob cornel yn yr ail gêr ac yn defnyddio'r dull hwn i arafu'r car. Mae hyn yn gwneud i refs y peiriant godi i tua 150,000 y funud, ac i lefel y sŵn beryglu fy iawn bwyll. Rwy'n teimlo erbyn hyn y gallai'r gornel nesa fod yn ddigon i'm bwrw i dros y dibyn. Rwy'n tynnu f'anadl i mewn yn araf, yn swnllyd ac yn hollol bwrpasol. Ac ma' Dad yn sylwi. Yn symud ei ben fodfedd i'm cyfeiriad i ond yn dweud dim.

A'r gornel nesa yw honno sy'n ein cludo ni i'r tŷ, ac i freichiau fy mam, sy wedi bod yn disgwyl wrth y drws ers yr eiliad y gadawodd fy nhad, siŵr o fod. Mae hi'n ddiamynedd hefyd.

''Le chi di bod, Gwynfor? Er mwyn dyn. Ma'r te yn y pot ers drwa ugen munud. Ma' fe'n o'r nawr.'

'Wel be sy mater arno' chi'n neud te mor gynnar? O'ch chi ishe i fi ladd y crwt yn sbido fe 'nôl 'ma, jyst er mwyn iddo fe ga'l 'i de yn dwym?'

Dyw Mam ddim yn ateb, ac ma' hi'n troi ei chefn ar fy nhad ond yn dal i fy wynebu i.

'Hylô 'ten, Daf. Shwd wyt ti?' ac ma' tôn gynnes ei geiriau cyntaf tuag ata i fel tasen nhw'n pwysleisio oerni'r driniaeth y gall fy nhad ei disgwyl yn nes ymlaen.

'Sai'n credu bydde dy dad yn sbido tase holl ladron yr ardal tu ôl iddo fe, yn bygwth mynd i ddwgyd 'i flode fe!' Cyfeiriad yw hyn at un o'r digwyddiadau mwyaf anghredadwy yn hanes diweddar y cwm. (Yr haf diwethaf, adeg y sioe amaethyddol, flynyddol, derbyniodd yr heddlu nifer o gwynion gan arddwyr a ddeffrodd un bore, yn barod i dreulio diwrnod yn tendio'u blodau gogyfer â'r sioe, ond a welsant, o agor y cyrtens, nad oedd ganddyn nhw flodau ar ôl i'w tendio mwyach. Roedd fy nhad yn un o'r bobl lwcus, ac anlwcus hefyd, fel y digwyddodd pethau. Cafodd ei *azaleas* ef berffaith llonydd gan y lleidr, pwy bynnag ydoedd. Ac er i Dad glywed am yr halibalŵ, fe aeth e i'r sioe fel petai dim wedi digwydd, ac arddangos ei flodau a chael trydedd wobr deilwng iawn hefyd. Ond dyna ddechrau'r trwbwl. Roedd pawb oedd wedi dioddef oherwydd y garddwr diegwyddor a fu'n prowlan y gerddi liw nos, yn awyddus i bwyntio bys. A chan fod 'nhad yn un o'r ychydig rai a ddaeth drwy'r helynt a'i flodau'n holliach, fe'i cyhuddwyd o sawl gweithred ysgeler: dwyn blodau arobryn, *sabotage*, *blackmail* ac roedd sôn hefyd, ymysg rhai, ei fod e wedi bod yn gweithio i'r CIA yn Dallas, ym mis Tachwedd chwe deg tri . . .) Ac ma' Mam yn gwybod hyn oll yn iawn. Ac yn gwybod hefyd nad yw fy nhad, lawn flwyddyn wedi'r digwyddiad, wedi gallu anghofio'r ffwdan am eiliad. Fod y peth yn dal i'w gorddi fel petai hi'n ddoe y digwyddodd popeth. Ac mae hi'n dal i'w gorddi a'i wawdio. Ond ei bod hi'n ei wawdio mewn ffordd gelfydd. Yn ceisio rhoi'r peth ar ffurf jôc, fel na fydd neb, a fi yn arbennig, yn sylwi ar ei malais. Neu fel y gall hi ddweud, os digwydd i 'nhad lyncu'r abwyd ac ymateb yn chwyrn, 'Jiw, jiw Gwynfor. 'Werthinwch, ddyn. Jôc.' Ac o weld pethau fel hyn, fe allwch chi weld pam fod Dad yn gyrru'n araf, a pham nad oedd e am frysio adre. Dial ei gam yr oedd e. Dial y cam cyn i'r cam ddigwydd. Fel yr arferai Carwyn James, un o fois gore'r cymoedd hyn, ei annog. Roedd gan fy nhad lawer o barch tuag at Carwyn James (– 'Er dyle fe byth fod wedi gadel 'i filltir sgwâr. 'Nath e ddim hanner cyment i Gymru â beth 'nath e i'r bois lleol odd 'da fe.'). A hyn, falle, sy'n llywio'i agwedd e at briodas. Ma' byw yn briod â rhywun fel byw yn y rheng flaen. Ma' unrhyw fuddugoliaeth gewch chi yn mynd i fod yn fuddugoliaeth ddirgel. Yn un y gallwch chi'i rhannu â bois y sgrym ond â neb arall. Ma'n rhaid i chi wneud yn siŵr eich bod chi'n cael y digs bach i mewn, tra bod y dyfarnwr yn wynebu'r ffordd arall. Ceisio ennill y buddugoliaethau bychain tra medrwch chi.

Ac oddi ar yr olygfa gynta honno, ma' Mam a Dad am yddfau'i gilydd. Nid yn llythrennol wrth gwrs, ac nid i'r fath raddau fel y gallech chi ddweud i sicrwydd eu bod nhw'n dadlau. Ond yn gynilach o lawer na hyn. Yn y ffordd y mae Mam yn ceisio fy monopoleiddio i a chadw fy nhad o'n sgyrsiau, er enghraifft. Ac yn y ffordd y mae Dad yn gadael ei lestri brwnt wrth ochr y gadair, ac yn digwydd peidio clywed fy mam yn gweiddi arno i'w dychwelyd nhw i'r gegin, gan mai ei glust chwith sy agosaf ati hi, a'r glust honno ddim cweit mor siarp ag yr oedd hi. Yn y pethau bychain – yr arferion sydd wedi'u codi yn sgil blynyddoedd o gyd-fyw, ac sy'n cael eu harfer nawr yn y sicrwydd eu bod nhw'n graddol erydu amynedd y llall – yn y rhain y mae holl rym blynyddoedd o ddicter cudd. Ac mae meddwl fod y brifo'n fwriadol, ac mai fy rhieni i yw'r ddau chwerw hyn, yn fy nharo i, yn sydyn ac yn annisgwyl, i'r byw.

Rwy'n dechre meddwl nad yw Llundain yn lle mor wael wedi'r cyfan, a bod dinodedd yn gallu bod yn ddeniadol. Rwy'n hanner tybio fod hyn yn un o'r rhesymau pam yr apeliodd y lle ata' i gymaint pan oeddwn i'n chwilio am le ymchwil, yr holl flynyddoedd hynny yn ôl. Rhywle i ailddechrau. Rhywle i ymgolli ynddo. Ond mae'r teimlad hwn wedyn yn graddol leihau. Rwy'n gwybod nad yw bod yn unig mewn dinas fawr, angharedig yn beth braf o gwbl. A pha mor falch bynnag fydda i o weld fy fflat ar nos Fawrth, i gael bod yn rhywle lle nad yw llestri brwnt nac *azaleas* yn bethau tyngedfennol, eto cyn pen yr wythnos mi fydd y dyddiau'n mynd yn rhes, a'r wythnosau a'r misoedd yn eu dilyn.

8. 'Mae 'na lefydd . . .'

Neu fe fyddai'r dyddiau a'r wythnosau'n mynd yn rhes tasech chi wedi digwydd edrych ar unrhyw un cyfnod arall yn ystod f'amser yn Llundain. Oherwydd y mae'r ychydig wythnosau hyn – yr wythnos ddiwethaf, y penwythnos yma a'r bythefnos sy'n dod – yn rhai prysur. Annaturiol o brysur hefyd. Ond cyn i chi ddeall yn iawn pa mor annaturiol o brysur y maen nhw, mae angen esbonio rhai pethau. A gan 'y mod i adre' (yn ôl y diffiniad moel o'r gair, sef 'lle neu fan genedigaeth a magwraeth'), man a man i mi ddechre yn y fan hon; yn y pentre ac yn yr ardal o amgylch fy nghartref.

*   *   *

Stryd yr Angor.

Dyw cartre fy rhieni – *semi* bach, a adeiladwyd ddechre'r chwedegau – ddim yn perthyn yn iawn i unrhyw stryd. Yn un peth mae e rhyw hanner canllath y tu hwnt i'r tŷ olaf y gellir ei alw'n rhan ddigamsyniol o Stryd yr Angor. Yn ail, mae e'n un o bedwar tŷ tebyg a adeiladwyd tua'r un amser, ac a fwriadwyd, mae'n debyg, i fod yn rhan o stad, ond na chafodd gweddill y stad mo'i hadeiladu. Ac yn olaf, y mae'n hollol wahanol i weddill y tai sydd o'i gwmpas. (Ar wahân i'r tri arall, hynny yw.) A pha un ai anghofio cwblhau'r stad wnaeth yr adeiladwyr, neu ei chwblhau a gadael i'r cyngor wedyn anghofio rhoi enw i'r pedwar anathema

61

hyn, dwy' ddim yn gwybod. Rwy' jyst yn gwybod ein bod ni wedi defnyddio Stryd yr Angor fel cyfeiriad post erioed. Am fod y tŷ'n agosach i'r stryd honno nag i'r Waun, sydd y tu ôl i'n gardd gefn, ac i Heol y Parc, sy'n cysylltu'r ddwy stryd â'i gilydd. Os gallwch chi ddychmygu triongl sgwâr-onglog, mae ein tŷ ni reit ar yr ongl sgwâr, y Waun yn codi'n syth uwch ei ben, Stryd yr Angor yn ymestyn ar hyd y llorweddol a Stryd y Parc wedyn yn ffurfio'r hypotenws. Ac am y rhesymau hyn y mae ein hardal ni yn cael ei hadnabod yn lleol fel 'y gornel'. (Enghraifft ogoneddus, fe gytunwch, o'r dychymyg creadigol a glywir ar lafar gwlad. Defi Snowdon View *eat your heart out*.) A'r gornel honno wedyn sy'n dynodi diwedd y cwm, ar yr ochr ddwyreiniol. Does dim byd y tu hwnt i'r gornel ond coedwig, drain a darn o dir moel yn y canol, sy'n gartref erbyn hyn i ambell hen gar sgrap a throlis Tesco.

Ond mae'r fan hon yn lle delfrydol i fechgyn ifanc chwarae. A phan nad oeddwn i'n taflu *chips* at drenau, i'r fan honno yr awn i i chwarae rasio neu guddio neu gowbois. Ac i'r fan honno hefyd yr âi 'bois yr Angor', sef y criw o fechgyn oedd yn byw yn Stryd yr Angor. Ac yn aml fe fydden ni yno gyda'n gilydd. Y fi a bois yr Angor. Ond fydden ni ddim yno gyda'n gilydd o fwriad oherwydd daearyddiaeth ein tai a'n hardal. (Pa syndod i mi ymddiddori yn y maes? Roedd e o'm cwmpas ymhobman.) Fydde bois yr Angor ddim yn galw arna i am y rheswm syml nad oeddwn i'n un o fois yr Angor. Ac er 'y mod i'n cael cardiau pen blwydd bob blwyddyn gan antis ac wncwls, a Joseff yn eu plith mae'n siŵr, a'r amlenni'n dweud yn glir, 'Stryd yr Angor', eto ro'n i'n gwybod, a'r bois yn gwybod hefyd,

62

nad oedd fy hawl ar y fath statws yn gryf iawn o gwbl. Roedd yr hanner callath hynny *yn* gwneud gwahaniaeth. Yn un peth, fe fydde'n rhaid i fi adael hanner canllath cyn y gweddill ar y ffordd nôl adre, a gadael y sgwrs ar ei hanner, gan ddarganfod, y tro nesa i mi eu gweld, 'mod i wedi colli rhywbeth o werth. Jôc, neu stori am ferch arbennig, neu syniad newydd am gêm. Ac er nad oedd y bechgyn eraill yn mynegi ar lafar yr arwahanrwydd hwn, eto yr *oedd* yn bodoli. Oherwydd doedden nhw ddim yn ei wrthod, nac yn peidio â'i fynegi. Doedden nhw ddim yn dod i alw amdana i bob dydd yn ddieithriad, nac yn fy nghynnwys mewn unrhyw gynlluniau i fynd ar gyrch yn ddyfnach nag erioed o'r blaen i'r goedwig, er enghraifft. Nid fod hyn yn destun poen i mi, nawr na phryd hynny. Ro'n i wastad yn ddigon cyfarwydd â bod ar fy mhen fy hun beth bynnag. (Rwy'n unig blentyn.) Ond erbyn meddwl, mae'n rhaid bod fy ngwrthod yn benderfyniad bwriadus. Rwy'n cofio rhai menywod o'r stryd yn edrych ar fy mam â melltith pur yn eu llygaid wedi i ni symud i'r tŷ, ychydig flynyddoedd wedi iddo gael ei adeiladu. Fel petai symud i *semi* mewn ardal o dai teras y drosedd waetha yn erbyn dynoliaeth. A faint o'r mamau hynny wedyn fyddai wedi dweud wrth eu plant am beidio â chwarae â phlant y fath bobl snobyddlyd? (Dyw fy rhieni erioed wedi bod yn gyfoethog. R'yn ni'n siarad am *semi* digon cyffredin, wedi'r cyfan, nid am balas. Jyst yn ofalus o'u harian, mi fydden i'n tybio.) Ac er bod plant yn fwy tebygol o farnu person yn ôl ei allu i chwarae pêl-droed, neu gofio jôcs da, eto fe fydde rhybudd Mam yn aros, rhywle yn y cof. Yn y fan rhwng bod yn gyfeillgar, a gwneud ymdrech wirioneddol i feithrin y cyfeillgarwch hwnnw. Yn y fan rhwng chwarae cuddio gyda fi a 'ngwahodd i i fynd ar yr antur nesa. Lwcus nad meddwl oedd fy hoff ddifyrrwch bryd hynny. Fe allen i fod wedi bod yn *wreck* cyn fy negfed pen blwydd.

Ond bwriad yr holl atgofion hyn oedd cyflwyno'r daith i mewn i'r dref o dŷ fy rhieni, nid aildafoli fy mhlentyndod o safbwynt sosio-hanesyddol. Oherwydd cyn gynted ag y byddai bois yn cyrraedd yr ysgol ramadeg, neu'r *secondary modern*, fel yn achos sawl un o fois yr Angor (ffaith a barodd i fy mam, rwy'n cyfadde, fod rhywfaint yn ffroenuchel . . .), fe fyddai cyfeiriad yr antur yn newid, a'r lluoedd yn teithio i'r Gorllewin, i gyfeiriad y dre. I gyfeiriad meinciau'r sgwâr, sigaréts slei yn y parc, ac aros tu fas i'r Clwb Rygbi yn disgwyl cael cynnig peint gan rywun. (Y mae hi'n bosib fod y *cut-off* a gynigiais braidd yn eithafol. Does gen i ddim syniad pa fath o oedolyn fyddai'n rhoi diod i blentyn deuddeg mlwydd oed, na pha blentyn deuddeg mlwydd oed fyddai'n ddigon twp i aros y tu allan i glwb rygbi yn disgwyl un. Tan tua pedair ar ddeg, felly, fe fydde'r nosweithiau'n cael eu rhannu rhwng y goedwig a'r dre. Ond wedi hynny, erbyn tua pymtheg, roedd yr 'hongian o gwmpas' wedi dechrau o ddifri.)

Felly rwy'n cerdded o dŷ fy rhieni, ar ôl cael te a bàth a mwy o sylw gan fy mam nag a gafodd Dylan Thomas gan dwristiaid Americanaidd erioed, ac yn dilyn camre'r ecsodus wythnosol gynt, ar hyd Stryd yr Angor. Rwy' eisiau 'clirio 'mhen', ac er bod Mam braidd yn siomedig 'mod i ddim am aros i drafod rhinweddau cael tŷ bach (cartref, hynny yw) – 'dim byd ffansi, t'wel' – rhywle ymhellach o ganol Llundain, mewn ardal fach neis, 'le gallen i 'neud mwy o 'entertainio', mae hi'n ceisio ymddwyn fel petai hi'n deall. Wir, mae'r esgusodion y mae hi'n llwyddo i'w creu ar fy rhan yn berlau; yn rhai y byddwn i wedi bod yn falch ohonynt fy hunan: 'Mae' bown' o fod yn anodd i ti ddod nôl adre, ar ôl bod bant am shwd sbel, ac yn yr amgylchiade hyn hefyd . . .', a ''Naiff bach o awyr iach fyd o les i ti. 'Wy'n ffindo bo' fi wastad yn well mewn angladd os odw i wedi cal amser i fi'n 'unan y nosweth cyn 'ny'. Ie. *Absolutely*, Mam. A dyma fi felly yn cyrraedd gwaelod Stryd yr Angor. Rwy'n edrych 'nôl lan i gyfeiriad y Parc am eiliad, ar hyd yr hypotenws, jyst i f'atgoffa fy hun ei fod e'n dal yno, ac yn croesi'r cylchdro bach i gyfeiriad y dre.

*   *   *

Mae ein hen ysgol gynradd yn dod i'r golwg nawr, o'r tu ôl i'r coed deri uchel sydd ar ei iard. Roedden ni'n arfer chwarae pêl-droed yno, gan ddefnyddio'r coed fel gôl. Ond ma' un ohonynt, un o'r rhai pwysica yn nhermau pêl-droed, wedi'i thorri nôl bellach. Fe gwympodd bachgen oddi arni un noswaith, y tu allan i oriau ysgol, ac fe benderfynwyd mai'r gosb fwyaf addas y gellid ei rhoi i'r goeden fyddai torri'i breichiau. Mae hi fel canlyniad yn fwy addas fyth at chwarae pêl-droed nawr, gan nad oes yna ddail i wneud llanast yng ngheg y gôl, na changhennau i ddod yn ffordd taranfollt o hanner ffordd. A baswn i'n fodlon torri fy mreichiau hefyd i gael bod 'nôl yn yr ysgol, yn sgorio gôls gwirioneddol wych eto. Neu rywbeth.

Rwy'n chwibanu'r *intro* guitar i 'In my life'. Yn yr ysgol fe geisiodd Mr Bowen ein hannog i ddysgu cerddi ar ein cof. Rwy'n cofio fe'n dweud y byddai ychydig o Wordsworth yn werth y byd mewn sgyrsiau yn y dyfodol, pan fydden ni'n siarad â phobl bwysig a chlyfar, ond alla i ddim cofio mwy na hanner llinell erbyn hyn. Mae gen i ddyfyniad gan John Lennon, fodd bynnag, er cof am yr hen ddyddiau yn nosbarth Mr Bowen, ac mae e'n ymddangos yn eithaf addas yn y fan hon: 'All these places had their moments, with lovers and friends I still can recall. Some are dead and some are living. In my life I've loved them all'. (Mae'n swnio'n *crap* heb y gerddoriaeth – doedd Lennon byth yn fardd, dwy' ddim yn credu – ond dyna ni.) Ac fe allen i ddyfynnu cân i chi am y mwyafrif llethol o sefyllfaoedd, ac am y mwyafrif llethol o bethau hefyd. Ond rwy'n hoffi'r geiriau hyn yn arbennig, ac yn hoffi mŵd y gân y maen nhw'n rhan ohoni. Nid 'mod i wedi cael unrhyw beth mor Hollywoodaidd â 'lover' erioed (dyw 'cariad' neu 'wejen' ddim cweit yr un peth, nag yw?), nac wedi meddwl chwaith fod fy mywyd i, lawn cymaint ag un John Lennon, yn deilwng o gael ei gofnodi rhywsut, mewn geiriau atgofus, caredig a sentimental hyd yn oed. Ond wedyn, jyst achos 'mod i ddim wedi gwerthu miliynau o recordiau dros y byd i gyd, nac wedi bod yn eilun i genhedlaeth gyfan, dyw hwnna ddim yn golygu 'mod i ddim wedi bodoli, na 'mod i'n llai haeddiannol o gael fy nghofio na pherson a oedd, yn amlach na pheidio, yn ôl y bywgraffiadau beth bynnag, yn eithaf prat a bod yn onest. Na. Mae'n rhaid 'mod i'n werth rhywfaint o sylw. Y mae'n rhaid i fi f'ystyried fy hunan yn ganol y bydysawd oherwydd os na wna i, yna wnaiff neb arall, a bydd hi wedyn yn ta-ta ar bob un arall yn y byd nad yw, yng nghwrs ei fywyd, wedi gwneud mwy na bwriadu, gobeithio a dychmygu, heb erioed gyflawni. Y trueni mawr yw mai geiriau rhywun arall sy'n rhoi syniad o barhad a phwrpas i fi. 'In John Lennon's life' yw hi, nid 'In my own worthwhile, valuable, I-shouldn't-even-have-to-try-and-justify-this life'.

A dyna'r ysgol, felly.

*   *   *

Ond mae'r gân yn parhau: 'But of all these friends and lovers, there is no one compares with you'. Ac mae'r peth agosaf a fu gen i erioed i 'lover' yn byw – na, *roedd* y peth agosaf a fu gen i i 'lover' yn byw union hanner ffordd rhwng yr ysgol a Franco's. Ac ma' Franco's nawr yn siop gebàb sy'n arbenigo mewn gwerthu sleisys o goes eliffant, a 'lover' . . . wel, dyna'r stori rwy' ar fin ei hadrodd, ond rwy'n credu y cymera i bennod newydd cyn mentro i'r tir hwnnw.

9. Castell y Greal

Mae cyrraedd dy dŷ di fel disgwyl canlyniad arholiad yn y post. Neu fel yr adeg honno pan oeddwn i'n disgwyl am gadarnhad y byddwn i'n cael nawdd ar gyfer ail flwyddyn fy ymchwil, yn y coleg gynt. Rwy'n gwybod ei fod ar fin cyrraedd heb fod yn siŵr iawn pryd yn union y daw. Wedyn cyn gynted ag y llwydda i i dynnu fy meddwl oddi arno, a meddwl am rywbeth heblaw y llythyr holl bwysig, dyma fe'n cyrraedd. Ac yn yr hanner eiliad y cymer hi i mi sylweddoli beth yn union yw natur cynnwys yr amlen, ma'r canlyniad hwnnw'n cael ei ddyrchafu'n bennaf uwchben popeth arall.

Dyna fel y mae hi heno. Mae cerdded dy stryd yn fy llanw â nerfusrwydd. Fel taswn i'n blentyn bach ar ei ddiwrnod cyntaf yn yr ysgol eto. Yn gwneud i 'nghalon guro rhyw damaid bach yn uwch. (Nid yn gyflymach, fel y gwna calonnau fel arfer yn y sefyllfaoedd hyn, nac yn afreolus chwaith, ond yn uwch. Yn ddigon uchel i mi sylweddoli fod fy nghalon *yn* curo. Ac ai hyn a olygir pan sonnir yn gyffredinol am anterth bywyd? Y syniad o fod yn ymwybodol o gorfforoledd bywyd, yn hytrach na'i dderbyn yn ganiataol, a mynegi haniaethau emosiynol trwyddo wedyn? Yma, falle.) A dyw'r teimladau nerfus hyn ddim yn codi'n raddol. Maen nhw'n disgyn amdanaf. Yn ymosod arna i'n sydyn fel tasen nhw wedi bod yn aros yn y berth am yr union eiliad y byddwn i'n cerdded heibio'r fan hon. Dwy' ddim wedi gallu rheoli hyn erioed. Byth wedi gallu fy

mherswadio fy hun fod cerdded heibio i'r tŷ hwn yn
union fel cerdded heibio i unrhyw dŷ arall. (Ac o
ystyried pensaernïaeth gyffredinol y lle, ddylai hyn
ddim bod yn rhy anodd. Bron nad yw hi'n gofyn am
ddychymyg anhygoel i weld hyd yn oed y gwahaniaeth
lleiaf mewn rhesi cyfain o dai.) Ond y mae cerdded y
stryd hon, cyrraedd dy dŷ, gweld dy ffenest a ffenest y
lolfa a gweld yr holl nodweddion cyfarwydd – y plât
enw ger y drws, y poteli llaeth gwag y byddai'n rhaid
camu drostyn nhw bob amser i gyrraedd y tŷ – yn
perthyn nid i'r presennol, ond i gyfnod arall. Pan oedd
yr olygfa hon yn gysurus. Yn fy ngwahodd i mewn iddi.
Y mae hi fel petai'r pethau hyn yn bodoli dan
amgylchiadau arbennig yn unig. Fel rhyw gastell greal
na allwch chi gyffwrdd ag e ond mewn hapusrwydd a
daioni.

Rwy'n codi fy llygaid i dy ffenest ac yn dychmygu
dy weld yn eistedd yno. Yn dychmygu canu'r gloch eto,
a chlywed sŵn dy draed yn brysio i lawr y grisiau. Ac
yn dychmygu, cofio (mae'n rhyfedd sut y mae'r ddau'n
gweithio gyda'i gilydd heno), gweld y drws yn agor a
neb yno o'm blaen am eiliad, tan i ti neidio allan o'r tu
ôl iddo. Yn gwenu ar y tric, yn gwybod nad yw'n
ddoniol ynddo'i hun, ond yn gwybod hefyd ei fod yn
jôc i ni'n dau. A taw hyn sy'n bwysig, nid y
posibilrwydd o'i werthu i'r ddau Ronnie. A'i fod yn
arwydd ein bod ni'n rhannu rhywbeth. Ein bod ni
wedi'n clymu gan sidanau prydferth chwerthin. A'n bod
ni'n bodoli mewn cytundeb â'n gilydd. Ar yr un
donfedd. 'Then she gets you on her wavelength, and
she lets the river answer that you've always been her
lover . . .'

Ond dyna'r 'lover' yna eto. Yn ifanc, yn llawn gobaith. Yn fy arteithio i eto.

*   *   *

Yn sydyn, mae gen i olau neon pinc ar fy mhen ac arwydd yn dweud, 'Chwi drigolion Philpott Avenue. Dewch at eich ffenestri. Gwelwch o'ch blaen fab afradlon. Sylwch arno. Dywedwch wrth eich gwŷr na wnân nhw gredu pwy sy'n sefyll o flaen tŷ y Robertsys. A gofalwch beidio styrbio'r net cyrtens rhag ofn iddo fe wybod eich bod chi yno yn gwylio pob cam.' Wir. Ac mae'r arwydd mor fawr ac mor drwm fel 'y mod i bron â chwympo'n fflat dan y straen. Oherwydd ymhen yr eiliad rwy'n cofio 'mod i'n sefyll y tu allan i dŷ arwyddocaol iawn a bod pobl arwyddocaol yn dal i fyw yno ac nad ydw i, fel yr hoffwn i fod heno, yn anweledig. *Au contraire*. Rwy' wedi bod yn sefyll yn fy unfan am amser hir, ac wedi llwyddo i dynnu llygaid y byd oddi ar eu gwnïo a'u *Hemmerdale Farm* yn y broses.

Rwy'n fy nghael fy hun felly yn ceisio dychmygu dy fam, y tu ôl i'w chyrtens, yn fy ngweld i y tu allan i'w ffenest yn syllu'n ddigwilydd ar ei thŷ. Rwy'n ceisio dychmygu ei hymateb:

'O shgwlwch. Ma' Dafydd tu fas ac ma' ryw olwg bell ar 'i wyneb e. 'Wy'n gobitho bod e'n olreit. O'dd e shwd foi ffein, ond o'dd e. Galle Rachel ni fod wedi 'neud lot gwa'th na aros gyda fe. Be chi'n 'weud?'

Nid fod barn dy fam yn werth taten bwdwr. Fe alle hi yr un mor rhwydd, gan ddibynnu ar ba sefyllfaoedd y gwnest ti eu hanner-egluro wrthi, fod yn paratoi i rwygo les holl lenni'r fro mewn cynddaredd nawr:

'Be ddiawl [Megan!], sori, ma'r diawl [Iaith w, plis!] 'na'n 'neud 'nôl 'ma? O'n i'n meddwl, ac yn gobitho hefyd, bo' Llunden wedi'i lyncu fe am byth.'

Ond mae hyn hefyd yn ddealladwy. Ro'n i mor wyllt bryd hynny. Mor *psychotic*. Yn fêl i gyd un funud ac yn taflu llestri rownd y stafell y nesa. A hyn heb reswm yn y byd, wrth gwrs. 'Pam ma' llestri Royal Albert fy hen hen fam-gu yn deilchion ar y llawr, Dafydd?' fydde cwestiwn dy fam. A chwestiwn digon teg hefyd. A fi'n gorfod ateb nad oedd 'na reswm mewn gwirionedd, ond 'y mod i, yn ôl fy natur, fel matsien, yn barod i fflamio mewn chwinciad. Ie. Dyna oedd hi, on'd ife? Yr olwg ddiniwed honno. Siglo'r pen ychydig ac edrych ar y llawr fel petai e'n ffrind mynwesol. 'Sai'n gwbod be sy'n bod arno fe, Mam. Mae e'n mynd mor grac am y pethe lleia . . .' A gadael y frawddeg yn benagored fel 'na, er mwyn i dy fam allu'i chwblhau.

Ond efallai mai'r broblem trwy gydol yr amser oedd na chefais i erioed ddigon o ddrwg-enwogrwydd. Na fu gen i erioed air croes i'w ddweud wrth dy fam, er enghraifft, a 'mod i mewn gwirionedd yn eitha hoff ohoni. 'You know the wife's mother, she's so fat she could keep a whale warm in winter.' A doedd dy fam ddim y person teneua yn y byd, ma' hynny'n ddigon gwir, ond do'n i byth eisiau gwneud jôcs amdani chwaith. Roedd hi'n neis. Roedd hi'n fy lico i hefyd, ac roedd mynd i'r tŷ wastad yn neis wedyn. Ro'n i'n teimlo fod croeso i fi yno, a mwya braf fyddai'r croeso, mwya poléit a neis fyddwn i. Nes iddi ddod yn amlwg, yn rhy hwyr hefyd, fod mamau yn dwlu arna i. 'Mod i yr union fath o fachgen yr oedden nhw am i'w merched gyfarfod ag ef. Er na ddylwn i sôn am 'ferched' chwaith. Fues i erioed ar delerau 'galwch eto' gyda gormod o famau merched. Ond roedd yr egwyddor yn dal gyda mamau bechgyn hefyd. Ro'n i mor boléit nes y byddai'r *mamau* yn fy ngwahodd i de, tra byddai'r bechgyn, rwy'n siŵr, yn ceisio meddwl am ffyrdd cynnil o beidio siarad â fi eto. Ac ma' bod yn boblogaidd gyda mamau, mamau bechgyn neu ferched, yn beth gwael, gallaf gasglu. Y mae'n golygu, yn syml, eich bod chi'n hollol hollol gyffredin. Na fyddwch chi byth yn dianc oddi ar y llwybr cul. Oherwydd dyma'r bobl y mae mamau am i'w plant gael fel ffrindiau. Allan nhw ddim arwain neb ar gyfeiliorn, prynu ffags iddyn nhw, na dysgu iddyn nhw sut i regi mewn pum iaith wahanol. Ac yn fwy na hyn, mae'r person cyffredin hwn yn un y gall y mab neu'r ferch ei g/chymharu'i hun ag ef. Gall hyder y plentyn esgyn i'r entrychion, gan nad oes 'na ffordd yn y byd y gall fod mor uffernol o ddi-liw â'i ffrind.

Rwy'n tynnu am fy neugain nawr, neu ar yr ochr anghywir i dri deg, beth bynnag. (Dyna yw terminoleg y cyfnod hwn mewn bywyd.) Ac o'r fan hon gallaf dystio fel a ganlyn: Roedd mamau'n fy hoffi i, *ergo* rwy'n ddibriod, yn ddi-blant ac yn unig. O ie, ac rwy'n dlawd hefyd a does gen i ddim gobaith gwirioneddol o godi o'r rhigol. Felly cymerwch gyngor gennyf i, chwi fois ifanc neis: cofiwch stôr bach handi o jôcs cas am y ddarpar fam-yng-nghyfraith, a pheidiwch â gadael unrhyw dŷ lle mae 'na fam yn bresennol heb dorri gwynt yn uchel o leia ddwywaith.

10. Hel straeon

Rwy'n ceisio dychmygu'r *blurb* ar gefn nofel fy mywyd i:

'Brodor o'r cwm yw'r awdur. Fe'i haddysgwyd yn ysgol gynradd y cwm ac yn yr ysgol ramadeg leol hefyd. O'r fan honno aeth i brifysgol (nad oedd yn rhy bell i ffwrdd chwaith) i astudio Daearyddiaeth. Enillodd radd eithaf da (gwell na'r disgwyl, mae'n rhaid dweud), a bu'n gweithio wedyn mewn llawer man, gan gynnwys amrywiol siopau a thafarnau lleol. Ymhen rhai blynyddoedd aeth i Lundain i astudio am radd doethur, ond gadawodd ar ôl blwyddyn i fynd i weithio i gwmni yswiriant. Ac ar ôl hynny, dim. Dim oll. Hon yw ei unig nofel, ac un uffernol o ddiflas yw hi hefyd.'

Ac allwch chi ddim anghytuno, mewn gwirionedd, allwch chi? Dyma fy mywyd yn ei grynswth. Dyna hi. *This is as good as it gets. This is the best.* Mae 'na ambell i beth 'rhwng y llinellau', oes, ond does 'na ddim gormod o linellau, yn anffodus, sy'n cyfyngu'n syth ar gyfanswm yr hyn a all fod rhyngddyn nhw. Ac ma' hyn *yn* gwneud stori ddiflas. Ffaith.

Pam trafferthu i'w hadrodd hi, felly? Pam mynd i'r boen o geisio cyfleu'r gorffennol, bywiocáu cymeriadau a chreu darluniau, pan mai digon llwm yw'r deunydd ar y gorau? Pan mai o'r braidd y gallai 'artist' ei drin, heb sôn am fethiant o ddaearyddwr? Wedi'r cyfan, dyw hi ddim yn sbort gorfod gwrando ar hanesion diflas pobl eraill, nag yw? Fel gorfod edrych ar eu lluniau gwyliau a ffugio diddordeb ysol. Na. Mae'n rhaid wrth ryw hyfdra anhygoel i hyd yn oed ystyried adrodd eich hanes ceiniog-a-dime chi. I fynnu sylw bywydau eraill yn gyfan. (Fe ysgrifennodd Philip Larkin rywbeth tebyg am gariad. Nid fy syniad i yw e.) Ac mae 'na elfen o ymffrost yn perthyn i'r holl beth hefyd, on'd oes? Ac os nad 'Ha ha, ma' mywyd i lot mwy diddorol/ cyffrous/ secsi na'ch un chi' yw e, yna mae e'n awydd i ddangos i'r byd ei bod hi'n iawn arnyn nhw, mewn gwirionedd. 'Hy. Chi'n credu bod hi'n fain arnoch chi. Ddylech chi fod y tu fewn i 'nghorff i, ac edrych ar bethe o fan hyn . . .' Ac mae'n siŵr 'y mod i'n euog o hyn. Hynny yw, rwy' am i chi weld maint y dinodedd goresgynnol sy'n pwyso arna i; eisiau i chi sylweddoli 'mod i, yn fwy na chi, yn dioddef o fod yn berson bach yn y byd mawr. Ac rwy' am i chi gymryd diddordeb yn fy mywyd i felly. Eisiau i chi sylwi arna i, eisiau i chi beidio f'anwybyddu, fel y gwnaeth y blynyddoedd diwethaf. Rwy' eisiau i rywun, ar wahân i mi fy hun, a fy mam, sydd ddim yn cyfri, weld fy ngwerth i. A dyna pam 'y mod i'n dweud yr hanes, mae'n debyg. Nid am fy mod i'n meddwl y byddwch chi ar eich ennill o'i glywed, na chwaith am fod fy stori'n ddifyrrwch, neu'n werthfawr er ei mwyn ei hun. Ond am mai fy stori i yw hi. Fy stori i.

*   *   *

Y mae'r cof a'r meddwl, yn ddi-os, yn bethau rhyfedd. Ma' cofio fel gyrru trwy bentref dieithr pan 'ych chi'n ddeuddeg a synhwyro rhywsut eich bod chi'n mynd i fyw yno ymhen blynyddoedd. Neu fel gweld merch ar y stryd, ac yn yr hanner eiliad y cymer hi i'ch llygaid gwrdd, ddyfeisio yn y fan a'r lle gwrs hanes eich bywyd

74

gyda'ch gilydd. Hynny yw, allwch chi ddim peidio â meddwl y dylech chi fod wedi bod rhywfaint yn fwy effro i'r grymoedd cosmig oedd yn chwyrlïo o'ch cwmpas ar yr adeg y digwyddodd y pethau hyn sydd, yn awr, yn eich clymu chi wrth eich presennol. Siawns tasech chi wedi stopio am eiliad i gymryd gwynt, y byddech chi wedi gweld, efallai, fod gan y pentre hwnnw ryw lewyrch arbennig, neu fod y ferch mor arbennig fel mai'r unig reswm y daethoch chi i syllu arni yn y lle cynta, neu yrru drwy'r lle hwn, oedd am eu bod nhw'n rhannau digamsyniol o'ch dyfodol; eu bod nhw eisoes yn ddim ond hanes nad oedd wedi digwydd eto?

Ond o gymryd gwynt, a synhwyro fod y pwerau'n crynhoi uwch fy mhen fel storm drydan, faint callach fyddwn i mewn gwirionedd? Dydi gwybod beth fydd eich dyfodol, wedi'r cyfan, ddim yn caniatáu i chi 'i newid, nag yw? Fe allwch chi'ch paratoi'ch hun ar ei gyfer e, ond o ran gwneud rhywbeth pwrpasol i sicrhau y bydd ganddoch chi dipyn mwy o arian, er enghraifft, nag yn y weledigaeth, na, *no way*. Pam meddwl, wedi blynyddoedd hir felly, fod golygfa yn goferu gan eironi, neu ag arwyddocâd na allwn i yn fy myw fod wedi ei rag-weld ar y pryd? Pam tormentio fy hun drwy feddwl y gallwn i fod wedi gwneud rhywbeth yn ei gylch tasen i ond wedi sylweddoli . . . A pham cofio o gwbl, felly?

*   *   *

Fe ddechreuodd popeth, fel y dechreua cynifer o'r carwriaethau gorau, mewn ffilms beth bynnag, gyda siop ei thad. Pan oedd y byd yn ddim mwy na rownd bapur a stickers ffwtbol (ro'dd pawb arall yn yr ysgol yn 'u casglu nhw, a phentwr o dyblars yn debygol o'ch

gwneud yn hynod boblogaidd am weddill y tymor), a
swllt neu ddau yn prynu pythefnos yn Sbaen i chi.
Roeddwn i'n ifanc – tua tair ar ddeg oed – ac roedd
popeth yn ddigon syml. Bob bore mi fyddwn i'n codi
am chwech i ddosbarthu cwpwl o gannoedd o bapurau,
yn treulio tan hanner awr wedi wyth yn cerdded y
strydoedd â bag a oedd, bryd hynny, yn fwy na fi wedi'i
luchio dros fy ysgwydd. Yna, ar ôl dychwelyd y bag
gwag at Mr Roberts, mi fyddwn i'n prynu dau baced o
gardiau pêl-droed ganddo ac yn mynd yn fy mlaen i'r
ysgol. Ac mae'n siŵr fod y sticers hynny wedi gwneud
fy nyddiau ysgol yn llawer iawn haws. Hynny yw, fe
alla i gofio dod o'r siop, a rhoi'r cardiau yn fy mhoced a
theimlo wrth wneud nad oedd mynd i'r ysgol yn beth
rhy wael wedi'r cyfan. Fel taswn i'n ymwybodol fod y
cardiau hyn yn prynu rhyw fath o boblogrwydd i mi.
Wrth gwrs dwy' ddim yn cofio meddwl am y peth fel
hyn, nac yn cofio ystyried goblygiadau'r cyfeillgarwch
oedd yn seiliedig ar lwgrwobrwyo. Ond rwy'n cofio
meddwl amdanyn nhw fel rhyw fath o bolisi yswiriant.
Fel sicrwydd ychwanegol. Oherwydd ma' gwybod eich
bod chi, ar y gorau, yn *first reserve* yn unig gyda bois yr
Angor yn dueddol o'ch gwneud chi dipyn yn fwy
ymwybodol o'ch safle'ch hun yn hierarchiaeth iard yr
ysgol nag y dylech chi fod yn dair ar ddeg. (Er, wedi
dweud hynny dwy' ddim yn cofio pethau'n mynd yn
deilchion pan ddeuai'r tymor criced yn yr haf, ac o
ystyried y ffaith nad oedd 'na sticers criced i'w cael yn
siop Mr Roberts, fe allech chi'n deg fod wedi disgwyl i
hynny ddigwydd. Ond wnaeth e ddim ac mae'n debyg
felly taw fi, unwaith eto, sy'n gyfrifol am orliwio
digwyddiadau ffurfiannol fy mhlentyndod. Byddai

Mam, mae'n siŵr, yn dweud wrthych chi mai fi oedd y bachgen mwyaf poblogaidd yn y dosbarth a 'mod i'n ei chael hi'n anodd iawn ar brydiau i wneud amser i fod yn gapten ar y tîm pêl-droed, rygbi *a* chriced.)

Ac ma' sticers pêl-droed yn chwarae rhan bwysig yn y Cyfarfyddiad Mawr hefyd. Neu y Sylweddoliad Mawr, fel y dylwn i gyfeirio ato, oherwydd roeddwn i wedi'i chyfarfod hi ac wedi'i nabod hi ers i mi fod yn dair oed yn y cylch meithrin. Fy mam i wedi gwarchod i'w mam hi a *vice versa*. Ond dyw rhannu brws paent yn y meithrin, neu blataid o *fish fingers* a *chips* ddim o angenrheidrwydd yn cymell perthynas ('perthynas') yn y dyfodol, felly dwy' ddim wir yn cofio hyn. O ran dychmygu'r meithrin eto, a gweld y sêr, hyd yn oed bryd hynny, yn creu cyfliniad perffaith ac yn cynllwynio gyda'i gilydd, ydw, rwy' wedi gwneud hynny. Ond dwy' ddim mewn gwirionedd yn cofio'r cyfnod. Felly mae'n bosib *mai* cyfarfyddiad yw'r gair iawn. (*Received wisdom*: Mae hi'n ffaith wedi'r cyfan nad yw bechgyn fel arfer yn meddwl am ferched ond fel pethau i roi pryfed yn eu nicyrs. Tan iddyn nhw aros, un diwrnod, ar ganol sgam newydd, ar ganol llanw'u bagiau bach pert â mwydod, a sylweddoli'n sydyn fod 'na wahanol fath o ferch i'w chyfarfod. Yn sydyn ma' teits yn ddirgelion y bydysawd, a pham fod troi pedair ar ddeg yn rheswm i ferched ddiflannu i'r toiledau gyda'i gilydd, ac aros yno am gymaint o amser fel y gallech chi wneud eich busnes ugain o weithiau a lladd pob un germ ar eich dwylo yn unigol cyn iddyn nhw ymddangos eto? Rhyfedd, on'd yw hi? Un funud r'ych chi'n chwarae *kiss-catch* â holl frwdfrydedd diniwed eich deuddeg mlynedd a'r funud nesa ma' hyd yn oed meddwl am wefusau merch, ac am eu cusanu, mor frawychus â syllu i'r affwys ei hun.)

A dyna pam yr oedd sticers pêl-droed yn bethau mor ddylanwadol, hyd yn oed i fechgyn 'aeddfed', a oedd wedi cyfarfod â'r *nemeses* benywaidd newydd hyn ac wedi dod drwy'r profiad heb ormod o greithiau amlwg. Roedden nhw'n bethau dibynadwy; yn *solid*, yn aros yr un peth drwy'r amser. Ac wrth gwrs doedd dim peryg o gwbl i chi ffansïo Nobby Stiles. Doedd y pêl-droedwyr ddim, yn sydyn reit, yn gwisgo'n wahanol, nac yn siarad yn wahanol. A hyd yn oed pan fydden nhw'n cyrraedd deg ar hugain (yr oedran sydd mor bwysig i bêl-droedwyr proffesiynol ag yw pedair ar ddeg i ferched ifainc), fyddai ganddyn nhw ddim gronyn o ddiddordeb mewn diflannu i'r toiledau gyda'i gilydd. I'r gawod, falle, ond nid y toilet. Ond roedd hynny'n iawn. Hyd yn oed ymhlith y bechgyn tair ar ddeg hynny oedd yn gyfarwydd â Freud. Oherwydd roedd meddwl am dîm o ddynion yn rhannu cawod â'i gilydd yn ddim o'i gymharu â meddwl am natur y sgyrsiau yn y *girls' bogs*. Roedd 'na straeon di-ri am fechgyn a glywodd bytiau o'r sgyrsiau hyn ac a dreuliodd wythnosau, weithiau fisoedd cyfain, yn perffeithio'r grefft o osgoi merched. Fel 'Killer Joke' Monty Python. 'One man saw two words and spent several weeks in intensive care.'

Ond y sticers pêl-droed yna. Oedden, roedden nhw'n dipyn o gysur i fechgyn. Fel coginio Mam a *sheets* glân ar y gwely. Ac roedden nhw'n dipyn o gysur i fi hefyd. Oherwydd doeddwn i ddim yn dda iawn am chwarae'r gêm newydd hon (os gêm hefyd. Ac os gêm, dyma'r 'Bluffer's Guide' iddi): Cam 1: byddwch yn ddidaro gan esgus peidio sylwi arnyn nhw (ac roedd hyn yn iawn.

Ond am y gweddill . . .) Cam 2: talwch rywfaint mwy o sylw iddyn nhw, ond gwnewch yn siŵr eich bod chi ar ganol gêm – pêl-droed neu rygbi ar yr iard – fel nad oes rhaid i'r sylw fod yn fwy na chydnabod y merched, sydd yn eistedd yn eu minteioedd dan y coed ac yn edrych am gyfleoedd i chwerthin ar eich pen. Cam 3: codwch law ar y bechgyn gan ddweud eich bod chi am gael brêc bach, yna rhedwch, ond ddim *full pelt* chwaith, draw at y merched. Cam 4: ar ôl cyrraedd yno byddwch mor ddidaro, ond hefyd mor ddoniol â phosib. Gwnewch sbort am ben unrhyw un r'ych chi'n gwybod nad yw'r merched yn rhy hoff ohono/ohoni, ac fe fyddwch chi wedyn mewn safle, pan ddaw parti pen blwydd rhywun yn bedair ar ddeg/pymtheg (gan ddibynnu ar ba mor radical fyddo'r rhieni ym mhob achos unigol), i geisio (ac ni ddylid derbyn unrhyw beth, na chymryd fod 'na ddeddfau absoliwt wrth ddelio â merched, na rhesymau pam y dylai hi'ch ffansio chi yn lle'r coc oen yna sy'n gariad iddi) troi cyfeillgarwch yn 'gyfeillgarwch'. Ac wrth gwrs yn y fan hon ma' 'na broblemau eraill yn codi, a llu o eiriau bach lletchwith, ac os oedd cyrraedd fan *hyn* yn anodd . . .

Ond er gwaetha hyn i gyd, fe allai pethau fod wedi bod yn waeth i fi, ac ma' sticers pêl-droed yn rhan o'r rheswm am hyn. Oherwydd erbyn tua hanner awr wedi wyth, pan fyddai'r cwm cyfan wedi derbyn y *Mirror*, a phan fyddwn i wedi cyrraedd nôl yn siop Mr Roberts, mi fyddai 'na rywun arall y tu ôl i'r cownter yno: Rachel.

*   *   *

Ac er ei bod hi'n aelod digamsyniol o'r *clan* newydd, roedd hi hefyd yn o'reit mewn gwirionedd. Bron yn un o'r bois ar brydiau. Roedd hi'n well cricedwr na'r rhan fwyaf ohonyn nhw beth bynnag. Ac roedd hi'n gallu rhedeg yn gyflym hefyd. A thaflu pêl heb edrych fel tase'i breichiau hi'n cael eu rheoli gan bypedwr dibrofiad. Ac roedd hi'n wahanol i ferched eraill mewn sawl ffordd arall hefyd. Fyddai hi ddim, er enghraifft, yn troi at ffrind i chwerthin cyn gynted ag y gwelai hi fi, neu fachgen arall petai'n dod i hynny, yn dynesu ati. Fyddai hi ddim yn hela, nac yn prowlan iard yr ysgol mewn haid, fel y gwnâi'r merched eraill, er bod ganddi ddigonedd o ffrindiau. Ac mae'n debyg fod hyn yn ffactor holl bwysig. Doedd hi ddim, o'r herwydd, mor frawychus. Doedd dim rhaid gofyn i hon ofyn i'r llall ofyn iddi hi gawn i siarad â hi, ac yn bwysicach o dipyn, doedd dim rhaid i fi boeni amdani hi'n sgwrsio'n ffri yn y toiledau yn ystod yr awr ginio. Mae'n siŵr ei bod hi'n siarad a chwerthin mor uchel ac mor frawychus â neb, mewn gwirionedd, ac nad oedd hi mor wahanol i'r gweddill ohonyn nhw o gwbl, ond roedd hi'n llwyddo i'n perswadio ni, ac i 'mherswadio i, ei bod hi'n wahanol i'r merched eraill. Tyngedfennol. Ac roeddwn i'n eitha siŵr nad oedd hi, fel fi, yn perthyn yn iawn i'r *shooting match* newydd yma, a pham nad ei ffansïo hi, felly. Falle. (Wrth gwrs, er gwaetha'r nodweddion anferchetaidd, roedd hi'n hen ddigon merchetaidd i mi 'i ffansïo – gwallt tywyll hyd ei hysgwyddau, croen esmwyth a phryd tywyll, llygaid goddefgar a chrychau bach yn ei bochau pan wenai. Roedd hi'n bictiwr, oedd, ond roedd hi hefyd yn diferu swyn a chynhesrwydd, yn gwneud i mi deimlo'n braf yn ei chwmni, ac roedd hyn, gymaint â'r bochau cochaf a'r gwallt prydferthaf, yn ddigon amdana i.)

11. Ynglŷn â'r *Oak*

Philpott Avenue i Green Street ac ma' Jimmy Greaves newydd gicio'r haul dros ochr y byd. Mae'n dechrau oeri. Rwy'n penderfynu troi am adre felly, ond erbyn i'r penderfyniad gael ei wneud rwy' wedi cymryd rhai camau'n ychwanegol ac mae'r *Oak* wedi dod i'r golwg ar waelod y stryd. Alla i ddim cofio'r tro dwetha i mi fod yn yr *Oak*.

Ond rwy'n cofio'r dafarn ei hun, ac yn ei chofio'n iawn hefyd. Rwy'n agor y drws ac ma'r lle'n taro ar fy synhwyrau ac ar fy nghof fel bwcedaid o ddŵr oer. Mae e'n union fel nes i 'i adael e, ond fod popeth rhywsut yn fwy cywasgedig. Ma'r posteri gwyn, er enghraifft, wedi melynu ar ôl smoco ffags yr oesoedd, ac ma' hyn yn gwneud i'r waliau ymddangos fel petaen nhw'n graddol gau am y cwsmeriaid. Ma'r celfi hefyd – y fordydd a'r stolion, a'r fainc sy'n rhedeg ar hyd y wal dde – yn edrych yn llai nag oedden nhw'n arfer gwneud. Mae'n rhaid 'y mod i wedi tyfu rhyw droedfedd ers bod yma ddiwetha. Ac wrth y bar, yr un hen far anniben, ac o flaen yr optics simsan a'r cardiau post o Marbella a Mallorca, y mae'r un hen bobl, yn yfwyr a pherchenogion. Mae'r lle'n edrych yn gwbl ddi-raen; fel tase'r dafarn gyfan wedi bod ar un sesiwn anferthol yn fy absenoldeb ac wedi deffro y bore 'ma yng nghanol budreddi'r blynyddoedd cynt.

*   *   *

A chyn gynted ag y dechreua i feddwl am y dafarn fel hyn, rwy'n dechrau meddwl amdanaf fy hun hefyd. Oherwydd dyna ydw i wedi bod yn ei wneud, i bob pwrpas. Piso'r blynyddoedd – i iwreinals drewllyd yr *Oak*, fel petai.

*   *   *

Ond mae 'na waeth i ddod:-

'Dafydd Gilley, y cont salw. Shwd wyt ti 'slawer dydd?'

Rwy'n troi i gyfeiriad y llais, sydd yn floesg a thrwchus gan gwrw (*Welsh*, no dowt. Wyth geiniog y peint gynt), ond yn gyfarwydd yr un fath.

'Dan. Shw' mae.'

'O, fel y boi, tw'mod. Fel y boi. Cer i moyn peint a der i ishte lawr. Ma'r bois i gyd draw 'na.'

O, *good*. Da iawn wir.

'Y . . . ie . . . y . . . iawn. Dwy funud 'te.'

Rwy'n troi'n ôl tuag at y bar. Ma' llygaid y ford gyfan, os nad y stafell gyfan, gan mor uchel oedd cyfarchiad Dan, arna i. Rwy'n ganolbwynt y sylw. A hynny am yr eildro mewn deng munud. Rwy'n dechrau difaru dod yma o gwbl. Ac fe ddylen i fod wedi gwybod y bydden nhw i gyd yma hefyd. Doedden nhw ddim yn gwneud unrhyw beth heblaw mynd i'r *Oak* pan oedden nhw'n ifanc, pan oedd pethau gwell gyda nhw i'w gwneud, bob un. Does dim rheswm felly pam na ddylen nhw fod yma nawr.

Wrth y bar mae 'na lu arall o wynebau coch, cyfarwydd, yn mwynhau'r un noswaith y buon nhw'n ei mwynhau erioed. A'r tu ôl i'r bar y mae'r wyneb cochaf

82

un. Fe yw perchennog y lle, Roy, a'm cyn-gyflogwr hefyd, neb llai.

'Wel i jiw, jiw. Dafydd boi . . . Ti'n iawn? . . . O'n i'n flin i glywed am ych trwbwl chi . . . y . . . peint ife?' Rwy'n nodio 'mhen, ac yn pwyso yn erbyn y bar i aros amdano. (Ma' na wyth tap cwrw yn yr *Oak*, ac ma' pump ohonyn nhw'n *Welsh*. Dyw'r cwestiwn 'Beth?' ddim yn codi'n rhy aml.) Ma' Roy'n dychwelyd â'r ddiod ac yn ei gosod, yn ofalus iawn, ar un o'r matiau. Rwy'n estyn dyrnaid o newid mân iddo.

'Na, na . . . y . . . mae'n iawn. Rhwng popeth, t'mod . . . ie, na . . . mae'n iawn.'

Rwy'n edrych arno ac yn crychu fy nhalcen, jyst i wneud yn siŵr 'mod i wedi'i ddeall e'n iawn. Mae e'n codi'i law.

'Cer â fe. Croeso 'nôl ife.'

'Wel, diolch yn fawr Roy. Diolch.'

Dyw e ddim wedi rhoi diod am ddim i fi ers i fi weithio'n hwyr un noson, heb *overtime*, pan oedd e a'i ffrindiau'n dathlu fod y Clwb wedi ennill rhyw fuddugoliaeth neu'i gilydd. Rwy'n teimlo'n sydyn y dylwn i siarad gyda fe, chwerthin gyda fe, jocan ynglŷn â'r hen ddyddie gyda fe, a'i fod e'n disgwyl cymaint â hynny. Tase fe ond i 'weud diolch. Ond mae e'n tynnu 'nôl yn sydyn, ac yn troi at gwsmer arall, fel petai e'n ofni y gwna i dorri i lawr unrhyw eiliad. Neu 'i fod e wedi sylwi, synhwyro, 'mod i ddim mewn gwirionedd eisiau rhyw fân siarad gyda fe, na gydag unrhyw un arall chwaith. Efallai 'i fod e'n gwybod y bydd arna i angen pob gronyn o fân siarad sydd gen i ar gyfer y 'bois'.

*   *   *

Hen dafarn newydd yw'r *Oak*, os ydy hynny'n gwneud unrhyw synnwyr. Hynny yw, dyw'r adeilad ei hun ddim yn hen iawn o gwbl – ma' Mam, er enghraifft, yn gallu cofio rhyw ffwdan ynglŷn â chaniatâd cynllunio'r lle 'nôl ar ddechrau'r pumdegau, a phobl y strydoedd cyfagos yn cwyno y byddai eu gerddi'n cael eu difetha gan y lowts a oedd yn bownd o gael eu denu gan y fath sefydliad anwaraidd. Ond y mae'r tu mewn yn hen. Roedd yn hen hyd yn oed ar y dechrau un, ac y mae wedi aros yn ei unfan ers hynny. Dyw Roy heb glywed sôn erioed am 'thema' neu neon. Does ganddo ddim hyd yn oed 'system sain go iawn'. Ond ma' hyn i gyd, mae'n rhaid, yn rhan o'r apêl. (Fel tase'r bois ddim yn lico bod mewn tafarn lle d'yn nhw ddim yn gallu clywed eu meddyliau'u hunain a'u bod nhw ishe siarad, sgwrsio, trafod, yng *Nghafé Royale* y cwm.) 'Locals' pub' fydde'r disgrifiad mwya poblogaidd gyda'r locals eu hunain mae'n debyg, ac ma'n nhw i gyd yn falch o hyn. D'yn nhw ddim eisiau goleuadau llachar a miwsig byddarol. Ma'n nhw eisiau rhegi ymysg ei gilydd a thrafod rygbi. (Ma' bod oddi cartre am gyfnod wedi llwyddo i atgyfnerthu'r stereodeipiau, yn lle 'u chwalu, yn anffodus.) Ac os dyna'u dymuniad nhw, yna'r *Oak* yw'r lle perffaith. Fy hunan, ac yn enwedig nawr ar ôl i fi ddychwelyd i'r lle a gweld pawb mor sownd yn ei sedd arferol ag erioed, byddai'n well 'da fi lanhau'r toiledau eto, yng nghanol y drewi, y gwynt piso cath, a chwd y noswaith gynt, na bod yma.

Ac wrth gyrraedd y casgliad hwn rwy'n codi fy mheint oddi ar y bar ac yn troi i wynebu'r bwrdd yn y gornel.

*   *   *

Tri pheth sy'n rhaid i chi eu gwybod am Dan:

1. Mae e'n gallu yfed peint mewn tair eiliad.
2. Mae e wedi llorio dynion mwy nag ef (mae e ei hun yn chwe throedfedd a mwy) ag un ergyd syml.
3. Mae e'n dychryn y shit mas ohona' i.

Y tri pheth hyn sy'n nodweddu Dan i mi. Alla i ddim edrych arno heb gofio ei berfformiadau yn y dafarn, na chwaith ei berfformiadau y tu allan i'r dafarn wedi amser cau, na chwaith ei fod e'n llwyddo i godi ofn arna i mewn modd na allodd yr *Exorcist* ei wneud erioed. Mae e hefyd yn frawd eitha nodedig, ond mae hynny'n cael ei gyfri ym mhwynt tri, a'r pwynt hwnnw'n syml, y pwynt sy'n crynhoi'r cwbl, yw fod y boi yn f'arswydo. Mae ei ddyrnau'n fy arswydo, mae ei yfed yn f'arswydo. Mae'r ffaith ei fod e mor hollol hunanfeddiannol yn f'arswydo. Ac mae e'n eistedd yng nghanol y bois ac yn mynnu rhyw barchedig ofn ganddyn nhw i gyd hefyd, ac mae hynny'n fy arswydo. Ond efallai mai'r peth sy'n fy nychryn i fwyaf yw'r ffaith ei fod e mor uffernol o gyfeillgar. Heno er enghraifft. Dwy' ddim wedi'i weld e ers blynyddoedd – roedd ganddo wallt y tro diwethaf i mi 'i weld e, er mwyn dyn – ond mae e'n gofyn i mi eistedd gyda fe fel tasen i'n gyfaill gorau. Do'n i ddim yn rhan amlwg o'i grŵp ef hyd yn oed pan oeddwn i'n ifanc, ond dyma fe nawr yn cymryd cymaint o sylw ohona i ag erioed. Ro'n i'n arfer mynd i'w dŷ e, oeddwn, ond nid i'w weld e, ac o ystyried popeth ddigwyddodd wedyn, mae'n siŵr y galle fe gyfiawnhau bod tipyn yn llai goddefgar ohona i. Ond dyw e ddim. Mae e'n fy nghyfarch i heno â brwdfrydedd chwareus, â gwên ar ei wyneb. A hyn sy'n 'y nghael i: 'mod i'n aros o hyd am y dicter o dan y wên. Yn aros iddo fe ffrwydro. Ydy e'n gallu 'ngweld i'n chwysu? Ydy e'n chwerthin am fy mhen i, hyd yn oed nawr? Mae e'n f'atgoffa i o Robert de Niro yn *Goodfellas*: 'Murderers come with smiles'.

Ac felly rwy'n closio at y bwrdd, ac yn ceisio ymddangos yn ddidaro wrth gerdded. Rwy'n edrych yn gyflym ar wyneb pawb sy'n eistedd wrth ford Dan, i wneud yn siŵr nad oes 'na wên gïaidd wedi'i chyfeirio ata i, cyn eistedd i lawr. Rwy'n dewis fy sedd yn ofalus – y fainc bren, rhyw hanner ffordd rhwng bwrdd Dan a'r bar, sydd yn ddigon agos i mi siarad â rhywun, os bydd rhaid, ond yn ddigon pell hefyd i fi allu esgus nad ydw i'n rhan o'r grŵp, ac nad ydw i hyd yn oed eisiau bod yn rhan ohono. Rwy'n gosod fy ngwydr ar y bwrdd o'm mlaen i ac yn penderfynu 'mod i wedi dewis y lleoliad perffaith. Yn y gornel ma' Dan yn dweud rhyw stori am ffeit ar y cae rygbi, a'r gweddill yn chwerthin eu gorau, yn gorffen peintiau (ac maen nhw wastad yn *gorffen* peintiau. Fel tase cyrraedd y *bulge* yn eu gwydrau peint yn arwydd i rywun brynu'r rownd nesa – 'Get 'em in, Johnno' – a'u bod nhw i gyd yn arafu'r *pace*, yn *lightweights* sy ddim hyd yn oed yn deilwng o eistedd yn y dafarn hon, lle bu unwaith fawrion . . .) ac yn 'smygu. Ar yr ochr dde i mi mae'r fainc yn wag, a thrwy edrych i'r fan hon fe alla i berswadio pawb nad ydw i'n rhyw *hanger-on* bach trist, yn gobeithio ennill sylw'r pen-bandit. Rwy'n cymryd llwnc o gwrw, ac yn ei fwynhau.

Ond yna fe ddaw'r llais o'r gornel. Ac mae'n rhaid 'mod i'n meddwl ar lafar, neu fod 'na sgrin yn taflunio fy meddyliau ar wal y dafarn, oherwydd ma' Dan yn llwyddo i amseru'i ymyrraeth yn berffaith.

'Wel 'te Dafydd. Paid â cadw'n dawel drw'r nos. Gwed wrth bawb shwd beth yw Llunden.'

Ac yn ogystal â llwyddo i dorri'r garw ro'n i'n ceisio'i annog, ma' Dan yn gofyn ei gwestiwn jyst wrth i fi godi'r gwydr i 'ngwefusau eto. Mae'n rhaid i mi gymryd llymaid o'r ddiod cyn ateb, felly, ac mae'r eiliad o dawelwch a gymer hi i mi ailosod y gwydr ar y bwrdd yn denu llygaid y criw cyfan. Cyn hyn, doedden nhw ddim wedi rhoi gormod o sylw i gwestiwn Dan, ac wedi tybio mai cydnabod fy mhresenoldeb yr oedd am na allai'n hawdd beidio â'i gydnabod. Ond nawr maen nhw wedi sylwi ar y tawelwch ac maen nhw'n glustiau i gyd. Rwy'n dechrau poethi dan rym y sylw.

'Y . . . iawn. Chi'n gwbod. Mae'n iawn. Dim lot gwahanol i fan hyn *really* . . . na . . . y . . . mae'n iawn.'

'O ie. Gwd. *Tidy*. Be' ti'n 'neud lan 'na 'de?'

Heb gymryd eiliad i feddwl, rwy'n brysio i geisio f'amddiffyn fy hun.

'Y . . . wel . . . t'mod . . . jyst . . . [ac rwy'n dechre stryglo nawr] . . . jyst gwitho. Dros y lle i gyd, *really*. Ie.'

Ac mewn sefyllfa fel hon, fe fyddech chi wedi disgwyl i mi fod yn barod. Wedi'r cyfan, rwy' wedi ymarfer ateb y cwestiwn hwn ddegau o weithiau, cannoedd hyd yn oed. Ond rwy'n driblo'n bathetig heno. A beth sy'n gwneud i ddyn nad yw'n poeni dim am ddweud celwydd rif y gwlith wrth ei fam ei hun, fethu â chreu stori debyg mewn tafarn, o bob man? Ymysg y straeon dirifedi am bysgod oedd yn fwy na dynion, am yfed ugain peint a gyrru adre wedyn, ymysg y rhain i gyd, pam na allwn i fod wedi dweud, 'Wel, mae'n mynd yn eitha da. Yn y busnes yswiriant ydw i nawr. Rheoli swyddfa yng ngogledd Llundain. Ie. Grêt. Diolch.' Pam na fedrwn i ddweud hynny?

Ac yna, fel *one-two* cyflym ar fy ngên, '*So*, ti byth wedi priodi 'te . . .' ac mi fedra 'i weld ei fod e'n gwybod. Wrth gwrs i fod e'n gwybod. Ac mae e'n fodlon defnyddio'r wybodaeth er mwyn 'y ngweld i'n gwingo. *Bastard*.

12. Dial o'r Diwedd

Ac yn y fan hon fe fyddai hi'n braf gallu dweud 'mod i wedi ymateb â holl aeddfedrwydd fy neunaw mlynedd ar hugain; 'mod i wedi ateb cwestiwn Dan yn gwrtais ddigon, ac wedi eistedd yno am bum munud i orffen fy niod, cyn codi a cherdded o'r dafarn yn hamddenol braf. A thrwy hynny ei amddifadu fe o'r pleser digamsyniol a gâi o 'ngweld i'n danglo fel mwydyn ar fachyn pysgotwr, a'ch perswadio chi hefyd 'mod i'n arwr gwerth ei halen, yn ŵr balch a diwyro, ac yn rhy dda o'r hanner i adael i dwat fel hwn fy mygwth mewn ffordd mor blentynnaidd.

Ond yn y pum munud hynny rhwng cwestiwn Dan a diwedd fy mheint, bron cyn gynted ag y daw'r olwg ddieflig honno i'w lygaid, mae fy meddwl yn un gybolfa waedlyd o fatiau pêl-fas a *knee-caps* toredig yn drwch ar hyd y llawr, *Doctor Martens* enfawr, a wyneb fel *punch-bag*, yn mynnu dychwelyd bob tro i fy nyrnau disgwylgar, a'r *bastard* bach yn 'mesur ei hyd ar lawr'. Ac ma' hyn yn beth digon plentynnaidd i'w wneud hefyd, mae'n siŵr. Ac rwy'n sylweddoli hyn, ond yn parhau i ddychmygu beth bynnag. Rwy'n dychmygu codi i ben y ford a cherdded ar ei hyd nes cyrraedd Dan, yn ei sedd, a'i gicio fe wedyn nes fod ei wddf yn plygu yn ei hanner, a'i ben yn cracio yn erbyn ei gefn. Neu daflu'r ford i ochr draw'r stafell a gweld y braw yn goresgyn ei wyneb a'i gorff cyfan wrth iddo sylweddoli 'mod i'n cerdded yn bwrpasol tuag ato, 'mod i'n *fucked off* rhyfedda, a 'mod i am ei waed. Peintiau cyfain o'i waed. Neu godi'n hunanfeddiannol hollol, ac anelu am y drws, ond stopio y tu ôl i Dan heb iddo amau dim. Gafael wedyn yn ei grys, a'i dynnu ar ei draed, a'i fwrw a'i fwrw a'i ben yn methu mynd i unman ond at flaen fy nwrn, a'r adrenalin yn saethu i 'mreichiau, a nerth anorchfygol yn codi oddi mewn i mi. *Good 'ard twattin'*. A'i fochau'n gwrido'n lliw porffor cyfoethog, a'i wefusau'n hollti nes ei fod yn edrych fel merch wedi gwneud llanast â'i *make-up*. A'i ollwng wedyn yn swp tila ar y llawr a chwerthin am ei ben. Ac awgrymu, falle, yr hoffai e feddwl eilwaith cyn mentro cymryd y *piss* eto.

Rwy'n ystyried hyn i gyd yn fanwl, fanwl; yn dychmygu popeth fel petai e'n ffilm *technicolour*; yn gweld coch y gwaed ac yn teimlo crensian y trwynau, ond yn gwneud dim. Dim oll. Dim ond syllu i waelod fy ngwydr, fel tase'r *dregs* yno'n foddion hud, a nerth a dewrder a dial yn ganlyniad syml i roi peg ar y trwyn a'i yfed i gyd mewn un llwnc. Ac wrth gwrs dyw dechrau ffeit gyda Dan ddim yn opsiwn realistig o gwbl. Bydden i ar stretsiar cyn i fi allu dweud 'Pwy ti'n 'i alw'n gont salw, y cont salw?' Ac mae'n bosib taw hyn sydd i gyfri' am fy nyheadau treisgar, graffig; y ffaith na allen i ymladd i 'safio 'mywyd', fel petai. Fod fy awydd i weld Dan yn erfyn am drugaredd yn fwy o ddyhead i'w guro, ac i wneud yn siŵr ei fod e'n gwybod 'mod i wedi'i guro na dim byd arall. Wrth gwrs, fe allen i geisio 'mherswadio fy hun 'mod i'n well o lawer na fe, nad yw e mewn gwirionedd yn deilwng o lanhau fy sgidie i hyd yn oed, ond pa werth fyddai hynny? Byddai e'n 'y ngweld i'n cerdded o'r dafarn, yn gwneud fy ngorau glas i'w anwybyddu, ac er y byddwn i'n ei anwybyddu e o ran egwyddor pwysig, byddai e'n gweld 'mod i'n ffoi oddi wrtho ac yn cydnabod ei oruchafiaeth ef. Felly ei guro fe mewn ffeit fyddai'r unig ateb. Ac wedyn fe fyddai arwyddocâd y ffeit yn bwysicach na'r ffeit ei hun, ond byddai'n rhaid ei chael. Tase hi ddim ond i roi pethau yn nhermau du a gwyn. Fi yn 'i erbyn e. A fi'n ennill. A dyna pam fod fy nyheadau i'n *eighteen-certificate*, braidd. Nid rhyw ymffrostio *macho* gwrywaidd sy gen i, ond eisiau ei guro am unwaith, a'i dynnu e oddi ar ei bedestal. Ei gicio'n ddidrugaredd oddi ar ei bedestal, yn wir.

Ond rwy'n gorffen fy mheint yn dawel ac yn codi o'r gadair. Rwy'n gwisgo fy siaced eto ac yn mynd am y drws. Ma' Dan yn sylwi ac yn dweud, 'Hwyl, Dafydd. Cofia fi at dy fam,' a fedra i ddim hyd yn oed anwybyddu'r diawl yn iawn. Cyn i mi allu f'atal fy hun rwy'n troi fy mhen ac yn dweud 'Ie. Iawn. Hwyl'. Mae e'n gwenu. Ac felly rwy'n cyrraedd oerfel y nos tu allan ac yn ffieiddio wrthyf fy hun am fod mor uffernol o *soft*. Ma' 'na sŵn chwerthin buddugoliaethus, gwallgo i'w glywed y tu fewn i'r dafarn, ac wrth iddo atseinio yn fy mhen, rwy'n cychwyn am adre, 'nôl i fyny'r tyle, tua Philpott Avenue, yn ŵr blinedig a diflas, ac mor annhebyg i arwr â neb.

*　　　*　　　*

'*So*, ti byth wedi priodi 'te . . .'

*　　　*　　　*

Pymtheg oed. Ac erbyn hyn rwy'n eitha brwd dros y syniad o gael *childhood sweetheart*. Rwy' wedi darllen am y fath bethe, 'chi'n gweld. Ma' 'na chwaraewr tennis enwog yn priodi'i *childhood sweetheart* yr wythnos hon, yn ôl y papur newydd, a dyma benderfynu. Rwy' am fod yn bump ar hugain oed a phriodi fy nghariad i, a chael y papurau i gyd i gyhoeddi fod Dafydd bach wedi priodi'i *childhood sweetheart* e. A dyw hyn ddim yn gofyn gormod, ydy e? Jyst dogn o hapusrwydd, ac un delfryd bychan. Dwy' ddim eisiau dwyn cwota hapusrwydd unrhyw un arall, jyst ishe gallu dweud ymhen blynyddoedd fod pethau wedi bod yn iawn. Nid yn ffantastig, cofiwch, jyst yn iawn. Yn yr un modd ag yr oeddwn i ishe pasio'r arholiad daearyddiaeth hwnnw, heb hyd yn oed fod y gorau yn ein dosbarth bach ni. Dwy' ddim yn anelu am y brig, jyst yn gobeithio fod yna beth hapusrwydd yn ddyledus i mi ac y ca' i fwynhau hwnnw.

*   *   *

Ond y suro wedyn, a'r cwympo mas, a'r sylweddoli mai pymtheg oed *oedd* fy amser i . . . A does dim dwywaith nad ydw i'n teimlo'n eitha hunandosturiol erbyn cyrraedd Philpott Avenue eto. Rwy'n tynnu *zip* fy siaced i fyny at fy ngwddf. (Mae hi'n noson glir heno, yn enghraifft berffaith o weithgaredd atmosfferig antiseiclonig: dim cymylau, felly dim byd i amsugno a storio'r gwres o'r ddaear sy'n cael ei reiddio 'nôl tua'r atmosffêr, ac awyr ffres, oer, oer.) Ac er mwyn cadw'n dwym rwy'n gwasgu fy nghorff at ei gilydd, fel draenog. Rwy'n rhoi fy nwylo yn ôl yn eu pocedi ac yn gwthio 'mreichiau yn erbyn f'asennau, yn tynnu f'ysgwyddau i fyny tua 'nghlustiau, ac yn gorfodi fy llygaid i ganolbwyntio ar y llawr, rhyw ddwy droedfedd o 'mlaen. Rwy'n cerdded fel hyn am hanner canllath, falle mwy, ac yn dechrau meddwl 'mod i am lwyddo; 'mod i am gerdded heibio i'r tŷ heb hyd yn oed godi fy llygaid oddi ar y stryd, a bod yr amgylchiadau hinsoddol, a'r cymylau a'r lleuad wen, oll wedi'u trefnu er mwyn i fi allu gwneud hynny.

Ond rwy'n ildio'n sydyn, ac yn codi fy llygaid i gael un bip fach. Mae'r tŷ'n hollol dywyll, ar wahân i olau lamp yn y lolfa. Mae'n rhaid eu bod nhw'n gwylio'r teledu neu rywbeth. Mr a Mrs Roberts, David a Glenys, yn ymlacio gyda'i gilydd, yn mwynhau eu rhyddid hirddisgwyliedig. Ac wrth gwrs does dim siop i'w hagor am saith bore fory, na meibion meddw i'w bwydo rhagor. Fe allan nhw fynd i'r gwely'n gynnar a chodi'n hwyr nawr. Ac ma'r ferch fach yn gwneud yn iawn iddi hi'i hun; wedi priodi i deulu da. A pha ryfedd felly fod y rhieni balch yn eistedd yn eu cadeiriau cyffyrddus, ac yn llongyfarch ei gilydd ar eu llwyddiannau niferus:

'Wel Mrs Roberts, ma'ch merch chi wedi tyfu'n fenyw glyfar a chyfrifol. Ma'n rhaid ych bod chi'n hynod o blêsd.'

'O ydw, Mr Roberts. A chithe hefyd. Ac ma'n mab ni'n gadeirydd nesa'r Clwb. Ma' rhaid ych bod chi'n blêsd am 'ny.'

'Wel otw. Jiw jiw.'

'Ac 'ych chi'n ŵr busnes llwyddiannus, wedi creu 'i fusnes 'i hunan, ac wedi'i gwneud hi'n bosib i'r plant ga'l popeth ma'n nhw wedi ishe ar hyd y blynydde. On'd yw hi'n braf gallu dweud ein bod ni wedi haeddu'n llwyddiant?'

'Wel odi. Ac 'yn ni *wedi* haeddu pob llwyddiant 'yn ni wedi'i ga'l. 'Neud popeth gyda'n gilydd, 'chwel. 'Na'r *secret*. Ac ma' hwnna'n bwysig. On'd yw e'?'

R'ych chi'n gallu dychmygu eiliad o dawelwch wedyn, on'd 'ych chi, cyn iddo fe ychwanegu, 'Wy'n ych caru chi, Mrs Roberts. Yn ych caru chi'n fwy nag erio'd, ch'mod.'

Alla i weld David, wedyn, yn eistedd yn ei gadair, slipars *check* am ei draed a theganau newydd ei ymddeoliad yn drwch o'i gwmpas: ford fach y gallwch chi 'i thynnu i'ch arffed, a thair *remote control* arni. Un i'r teledu, un i'r fideo ac un arall i'r *hi-fi* newydd sbon ar y cabinet yn y gornel, sydd wedi'i brynu ag arian gwerthu'r siop. (Mae'n rhaid fod 'na CD *Essential Classics* yno'n rhywle hefyd.) A Glenys wedyn yn diflannu i'r gegin i wneud coffi ar ei pheiriant *espresso* newydd hi, a'r ddau yn teimlo'u bod nhw'n cael eu gwobrwyo nawr am lafurio mor galed gydol eu hoes. (Fe soniais i o'r blaen am sioe-gwis bywyd, rwy'n siŵr. 'A'r brif wobr heno, foneddigion a boneddigesau, y peiriant *espresso* hardd hwn, a'r tair *remote control* uwch-dechnolegol a chymhleth hyn. Gyda'r rhain fe gewch chi hefyd dwyllo'ch hun fod popeth wedi bod yn werth chweil.')

Ac wrth i fi sefyll y tu allan yn yr oerfel, a dychmygu'r dedwyddwch cynnes y tu ôl i'r llenni, mae'r hunandosturi'n taro eto, fel ton newydd ar graig wan, flinedig. Sut all y bobl hyn eistedd yna'n gwbl ddi-hid, a fi yma, y tu allan i'w ffenest, yn diodde creisis y maen nhw eu hunain yn rhan ddigamsyniol ohono? Sut allan nhw feiddio gwneud jôcs diflas am 'fod yn Ffrainc, gan mor gyfandirol yw'r coffi o'r peiriant newydd', a gwenu'n ddwl ar ei gilydd wedyn, pan fod 'na un nad yw'n fwy na phymtheg llath oddi wrthyn nhw sydd wedi anghofio, bron iawn, *sut* i chwerthin? Pam maen nhw'n esgus fod dim wedi digwydd erioed? Pam f'anwybyddu i? Fy ngadael i o'r neilltu yn y tafoli mawreddog ar eu bywydau bach pitw? On'd ydw i'n rhan o bopeth? Yn rhan o hanes y siop, yn rhan o hanes Rachel, yn rhan o hanes Dan (gwaetha'r modd), ac yn rhan o'u hanes cyfun nhw? Neu ydw i wedi peidio â bodoli ers pymtheg mlynedd? Ydych chi'n f'ystyried i o gwbl nawr? Yn rhoi eiliad o'r amser y mae gennych chi gymaint ohono y dyddiau hyn i feddwl amdana i, ac am fy nheimladau i, ac am sut yr ydw i nawr? Nac ydych. Ac mae 'na reswm pam nad 'ych chi'n poeni dim hefyd: am eich bod chi, fel Dan, yn *bastards*. Yn hen ffycars bach hunanol. Neb ond chi, *eh*? A ffycin peiriannau coffi a llwyddiannau bach ceiniog-a-dime. Ma'ch mab chi'n gadeirydd nesa'r Clwb? *Big deal*. Mae e'n *wanker*. Ac mi fyddai'n well 'da fi beidio â bod yn gadeirydd y WRU ei hun na bod yn *wanker*.

Ac fel y gwelwch chi, does dim sbel cyn i'r hunandosturi droi'n gasineb. (Er y dylwn i yn y fan hon, mae'n debyg, ymddiheuro am natur anghymdeithasol y bennod arbennig hon. Dwy' ddim yn ŵr treisgar fel arfer, nac yn un i regi a diawlio neb. Ges i fagwraeth ysgol Sul barchus, a byddai Mam, druan fach, yn cywilyddio'n hollol tase hi'n gallu clywed fy meddylie i nawr.) Ond ymlaen, a bron bod yr un peint o *Welsh* wedi cael cymaint o effaith arna i â deg peint o lager cryf. Ac er nad ydw i wedi meddwi (hy, mi alla i hyd yn oed yfed mwy na pheint ac aros ar fy nhraed. Er gwaetha'r hyn y mae Dan yn ei feddwl . . .), eto mae hi fel petawn i wedi yfed o'u grym nhw, wedi ildio i bwerau drygionus. Fel Edmund yn y *Chronicles of*

Narnia ar ôl bwyta *Turkish Delight* y wrach. Rwy'n *lout* nawr. Yn gweiddi rhegfeydd dros bobman, yn dyheu am gael danfon pobl i *intensive care*, ac yn waeth byth, yn dychmygu, bron marw a dweud y gwir, eisiau taflu bricsen drwy'r ffenest o'm blaen. Rwy' eisiau chwalu llonyddwch y lolfa gysurus. Taro'r coffi o ddwylo meddal David. Gwneud i Glenys sgrechian 'blŵ myrdyr'. A tharfu unwaith ac am byth ar eu bywydau trefnus a chlyd. Rwy' eisiau dial arnyn nhw. Arnyn nhw i gyd. Bob un ohonyn nhw. Yn rhieni a phlant a chathod a byjis. Ac os ydw i am fod yn ddiflas, yna dyw hi ond yn iawn i achos y diflastod, achos y blynyddoedd alltud hynny, fod yn ddiflas hefyd. Y fi yw'r dioddefwr fan hyn cofiwch, nid nhw. Nhw yw'r troseddwyr. Ac fel dioddefwr mae gen i hawl i ddial fy ngham. Fe ddylen i fod yn eu chwipio nhw i gyd yn gyhoeddus. Ond am y tro fe wneith bricsen drwy'r ffenest yn iawn, a ni, wedi'r cyfan, yn y cwm. Fe 'neith bricsen drwy wydr eu hunanbwysigrwydd cyfoglyd nhw yn iawn. Dysgu gwers iddyn nhw. Eu hatgoffa nhw 'mod i yma. 'Mod i wedi bod yma ers pymtheg mlynedd a mwy. Dy atgoffa di 'mod i'n dal yma. Dial fy ngham etc etc etc.

Ond dyw hynny ddim yn llawer iawn o ddialedd, mewn gwirionedd, nag yw? Ddim o ystyried maint y drosedd wreiddiol. Pymtheg mlynedd. Dyna fesur y drosedd ar fy mywyd i. Pymtheg mlynedd gyfan. A phymtheg mlynedd allweddol hefyd. Y pymtheg mlynedd pwysig. Amser gorau bywyd, i fod. Wedi mynd am byth. A d'ych chi ddim wastad yn derbyn pymtheg mlynedd o gosb am ladd. Ond ffenest wedi torri. Nawr dyna chi gosb. Mi wnaiff hynny iddyn nhw edifarhau. O gwnaiff. Ac eto, pa iws taflu un fricsen unig drwy ffenestr, pan na allai cant fy nhynnu i o'r shit? Pa iws chwalu un ffenest? Fe fydd un arall yno yn ei lle o fewn dau ddiwrnod. Ond bydda i'n dal i deimlo fel hyn. Yn dal i weld henaint ac unigrwydd yn dod amdana i. Yn dal i deimlo cynnydd y boen y tu ôl i fy llygaid. Ac mi fydda i'n dal mor bell o allu crisialu popeth, hyd yn oed yn fy meddwl fy hun, ag yr ydw i nawr, ag y bues i erioed.

Does dim amdani felly, ond cydnabod nad casáu'r olygfa y tu ôl i'r llenni hynny yr ydw i, ond cenfigennu wrthi, ac wrth y bobl sydd yn chwarae ynddi. Pam na ddylai peiriant coffi *espresso* ffug-grand fod yn ddigon o wobr am waith caled oes? Os ydy hynny'n golygu gwell coffi, yna pam lai? Does 'na ddim byd yn bod go-iawn ar eich llongyfarch eich hun ar unrhyw lwyddiant a gewch chi. Dyna drefn pethau. A does neb yn hoffi meddwl nad 'yn nhw wedi gwneud digon â'u bywydau, nag oes? Cewch. Fe gewch chi fwynhau eich ymddeoliad, David a Glenys. Mwynhewch eich *Essential Classics*, a'ch mân drugareddau eraill. Ond er mwyn dyn, peidiwch â 'ngadael i allan fan hyn. Mae hi'n oer. Yn oer uffernol. Ac rwy' eisiau ymuno â chi. Yng nghynhesrwydd eich cartre clyd. Rwy' eisiau bod fel chi. Dyna fi wedi'i ddweud e. Rwy' eisiau bod yr un y tu ôl i'r llenni. Yr un a all eistedd yno â'i draed i fyny, heb feddwl, heb hyd yn oed ystyried y gallai fod yna rywun fel fi yn sefyll y tu allan i'w ffenest yn ysu am gael dod i mewn.

13. Marwoldeb

Dydd Llun. Diwrnod yr angladd.

Kick-off am hanner awr wedi deg yn y tŷ, cyn mynd ymlaen i'r *crem* wedyn erbyn un. Rwy'n un o'r cludwyr. Hynny yw, yn un o'r ychydig ddynion sydd yn ateb pob un, neu ddau allan o dri o leiaf, o'r gofynion angenrheidiol: rwy' dan 75 oed a ddim yn debygol o gael harten wrth drio codi'r bocs. (Y mae'r ffaith na siaradais i air â Joseff am flynyddoedd yn gorfod ildio i rym y trefniadau ymarferol.) Ac fe fu hi'n dipyn o job cael hyd i bedwar dyn o'r fath. Yn enwedig ar ochr Dad i'r teulu. (Byddai 'nhad yn dweud drwy'r amser fod teulu Mam i gyd yn hen nambi-pambis. Byth wedi gweithio'n iawn (dan ddaear, hynny yw), fel fe. A'u bod nhw wedi treulio'u bywydau'n neud dim, a'u cyhyrau'n crino hyd yn oed cyn i'w gwallt gwympo allan. Ond dyw teulu Dad ddim yn ddelfrydol iawn nawr, chwaith. Fe ei hunan yw'r un iacha ohonyn nhw i gyd, ac mae e'n *knackered*.) Yr esboniad swyddogol, fodd bynnag – yr un daearyddol, sosiolegol – yw ein bod ni'n byw mewn cymdeithas sydd â'i phyramid poblogaeth yn prysur fynd yn *top heavy*. Pobl yn byw yn rhy hir, yn gwrthod marw. Maen nhw'n gweld Angau'n dod amdanyn nhw, yn gweld yr *hitmen* yn cyrraedd gyda'u *sub machine-guns*, ac yn lle rhedeg i'r gegin, a gwneud ymgais lew-ond-ofer i ddianc rhag y bwledi, maen nhw'n gafael mewn *bazooka* mawr, yn gafael yn eu pils a'u tabledi, ac yn eu llyncu nhw rif y gwlith. Maen nhw'n bwyta'u protin ac yn lladd y mochyn mas y bac i ga'l calon newydd, a dyw'r bois yn eu *shades* a'u siwts du, *poor buggers*, ddim yn gwbod beth i 'neud. Un funud maen nhw'n rheoli pethau, yn paratoi i 'neud *hit* ar ryw druan sy'n amau dim, a'r funud nesa' dyw'r truan ddim cweit mor druenus, ac mae e wedi clywed am y contract sydd ar ei fywyd ac wedi prynu'i fywyd yn ôl!

Felly os ydi 'ngweld i yn cerdded ochr yn ochr â'r arch, a 'mhen i wedi plygu fel tase'r hen ddyn a fi'n bartners bywyd, yn dipyn o sioc i anwyliaid agosaf Jo, yna bai y gymdeithas sydd ohoni yw hynny. Anlwc Jo yw ei fod e wedi marw ar amser (hynny yw, yn gynnar, er ei fod e ymhell dros ei saith deg erbyn y diwedd, os nad yn wyth deg). A'i ffrindiau e wedyn. Maen nhw yr un oedran ag ef, yn dal ar dir y byw, ond eu bod nhw wedi'u gwthio i gartrefi, neu gadeiriau, a'u breichiau nhw a'u cefnau jeli ddim yn gallu cynnal pwysau'u ffrind. A rhyw ddieithriaid wedyn yn gorfod cymryd eu lle nhw yn y 'deyrnged olaf', fel mae'r hen bobl rownd fan hyn yn lico dweud. Ma' gyda nhw syniad bod marw yn ddim mwy na rhaglen deledu rad, ac Eamonn Andrews yn ymddangos o rywle gyda'i lyfr mawr coch yn *finale* teilwng. Ond os ydw i'n aelod annisgwyl o'r garfan, does wybod beth ma'r teulu'n 'i feddwl o'r tri arall. Maen nhw'n wyrion i ferched-yng-nghyfraith cefndryd ac wyrion gwŷr a gwragedd plant Joe, ac fe allwch chi fentro mai wedi'u drafftio i'r llu y maen nhw ar sail eu galluoedd corfforol yn unig; Derwynnau Jones y siwtiau du, os mynner. Mae un ohonyn nhw nad yw, hyd yn oed, yn berchen ar basport Prydain. Awstraliad yw e, wedi treulio pedair awr ar hugain ar awyren er mwyn cario arch person nad yw e wedi'i gyfarfod erioed. Tipyn o ffars, yn wir. Ond, fel mae'n digwydd, dyw hyn ddim yn hynod o bwysig yn y pen draw. Y mae gan y trefnwr angladdau un o'r trolis bach metel yna, sy'n plygu'n fflat ond sy'n ddigon cryf i gario arch y dyn trymaf, fel mai dim ond codi'r arch a'i gosod ar honno sy'n rhaid i ni 'i wneud.

Ond yr eironi mwyaf, a'r un tristaf hefyd, yw mai trefnwr angladdau oedd Jo ei hun. Wedi hen gyfarwyddo â gweld y *Chevy* Mawr yn sgrialu ar hyd strydoedd y byw. Fe dreuliodd e 'i oes yn cysuro gweddwon, yn difrifol gyfri'r gost. 'Mrs Jones, odd e'n un o fil. 'Naf i bopeth galla i i chi, ac os licech chi ddod i'r *Chapel o' Rest* rhywbryd heno, 'naf i'n siŵr bod e'n dishgwl yn iawn i chi. I chi ga'l gweud gwbéi wrtho fe'n iawn. Ie. 'Na fe, 'na fe . . .'

Dwy' ddim yn gwbod os 'ych chi wedi gweld corff ar ôl iddo fe gael ei drin gan y trefnwr – fe ddigwyddais i wneud unwaith, pan oeddwn i'n blentyn a'r teulu eisiau gweld Joseff, ond ei fod e'n gweithio ar y pryd, a ni'n gorffod mynd lan i'r *Chapel* i'w weld e, a Mam a fe'n siarad a fi'n rhedeg rownd ar ben fy hun – ond maen nhw'n llwyddo i wneud i'r person mwyaf diolwg edrych fel brenin. Maen nhw hefyd yn edrych fel parodïau grotésg o ddol seramig, ond os yw'ch gŵr chi'n wyth deg tri yn marw, yn rhychiog a thrwyn 'da fe fel bachyn pysgota, fe allwch chi'n deg ddisgwyl gweld James Stewart yn y *Chapel o' Rest*. Ac ma' hyn wastad wedi ymddangos yn bur droëdig i mi, fel cydnabod beiau a ffaeleddau dyn yn agored. Ac fel ceisio ail-greu atgofion hefyd. 'Odd e'n ddyn golygus, on'd odd e?', tra bod y llun priodas yn dangos yr un rhychau a'r un trwyn cam, lawn ddeugain mlynedd cyn hynny! Ond roedd cwsmeriaid Jo (ac ma'n rhaid eu galw nhw'n 'gwsmeriaid', hyd yn oed wrth sôn am farwolaeth) bob amser yn falch iawn o'i waith. A'r gwragedd yn cael real cysur yn y ffaith fod Defi wedi eillio'r blew deuddydd o'i ên, cyn iddo gwrdd â Mr Crist. Fel tase mynd i'r nefoedd yn ddim mwy na mynd i'r capel ar ddydd Sul. A fydde neb yn y cwm yn breuddwydio mynd i'r capel heb 'wisgo lan', o na, felly pam ddyle'r meirw orfod mynd i'r Capel Tragwyddol yn eu dillad a'u hwynebau gwaith? (Ond yr *enaid*, chwi Gristnogion *Marks and Spencer*. Yr enaid. All y Jo mwyaf dawnus hyd yn oed ddim gwisgo hwnnw at y daith . . .) Ac fe dyfodd enw Joseff wedyn i fod yn gyfystyr, bron, â marwolaeth. Fe ddaeth fy hen gefnder (?) yn rhan o iaith yr ardal, yn rhan o'i chyfeiriadaeth chwedlonol hi. Fel Llety Bwbach ar ochr y mynydd, neu'r *Memorial Hall* yng nghanol y dref. Yn sefydliad yn y cwm. 'Mynd i ffôno Joseff' fyddai teulu, pan fyddai claf, ar ôl rhyw ddostrwydd hir, yn ildio, yn 'myned i'r ochr arall' o'r diwedd (ac os dim byd arall, mae'r capel wedi rhoi i'r cwm iaith a chywair gwahanol, iaith urddasol, iwphemistaidd; iaith gwahodd y gweinidog i de, iaith claddu). Wedyn os byddai rhywun yn peri poen a gofid i rywun arall, yna, fel y sonnir am 'fedd cynnar', 'ru' man i ti'n hala i at Jo Lewis iddo fe ga'l yn fesur i', fyddai'r gŵyn. Ond doedd ffonio Jo, neu sôn amdano fel un a oedd yn gyfarwydd â thriciau'r Twyllwr Mawr, ddim yn ddrwgargoel. Hynny yw, fyddai neb yn meddwl am Jo fel un a dderbyniai'i gyflog yn syth gan y Gŵr Drwg Ei Hun. Neb yn meddwl fod gan y ddau ryw gytundeb arbennig – fel rhyw *double act* sinistr:

'Os rhoddi di'r gwaith cliro lan i fi, 'naf fi'n siŵr bo fi'n hudo mwy trw'r drws ato ti'. A fydde neb yn croesi'r stryd i'w osgoi, a neb yn meddwl fod siarad ag e, neu'i weld e ar adeg arbennig yn y dydd, yn arwydd o ddim mwy na fod rhywun arall wedi marw, a fe'n mynd yn ei gar i gysuro teulu arall. Achos ma'r cwm yn bodoli ar farwolaethau. Pobl yn lico meddwl 'u bod nhw'n tynnu at ei gilydd ar yr adegau (niferus) hyn; bod yr hen draddodiade'n dal i fodoli. Ma' marwolaeth yn perswadio pobl – ma' trigolion yn well gair efallai – y cwm fod yr hen fyd yn dal yn fyw ac yn iach, a'r sefydliadau cysegredig – cymdeithas, agosatrwydd, gallu-gadel-drws-y-bac-ar-agor-dim-fel-heddi – i gyd yn ffynnu. Angau yw'r gweithiwr cymdeithasol gorau a fu yn y cwm erioed.

Ac mae hyn i gyd yn esbonio statws Jo. Dyma yw, oedd, craidd ei berthynas, craidd perthynas llawer i drefnwr angladdau mae'n siŵr, â chymdeithas fechan, agos. Cysurwr oedd e. Arbenigwr. Dyn oedd yn nabod ei farwolaeth. Dyn wedi treulio'i oes yn gosod darnau'r ddynoliaeth ddrylliedig yn ôl at ei gilydd. Ond roedd e hefyd yn profi y gallai angau daro a tharo a tharo eto heb dorri'r anian. Ac er bod ei wyneb wedi'i fowldio o glai pruddglwyfus, fel na allai wenu'n iawn hyd yn oed pan fyddai'n trio, eto yr oedd ei statws a'i fodolaeth fel trefnwr angladdau yn sefydlog. Dwy' ddim wedi clywed am drefnwr angladdau'n marw'n ifanc erioed. Ac roedd Joseff, yn nhraddodiad gorau'i alwedigaeth, fel petai wedi'i gadw yn ôl rhyw ordeiniad arbennig; wedi twyllo angau tragwyddol trwy gysegru'i amser i dendio meirwon yn y byd meidrol. Wedi'r cyfan, roedd e wedi bod wrthi ers gadael yr ysgol yn bedair ar ddeg oed. Wedi claddu pawb; ffrindiau'i blentyndod a laddwyd dan ddaear (allwch chi ddychmygu?), a'r rhai hynny o blith dynion ifanc y cwm a laddwyd yn yr Ail Ryfel Byd ac a gafodd eu cludo 'nôl i'w cartrefi, gweinidogion, roedd e wedi'u claddu nhw, a siopwyr a bancwyr a phwysigion cymdeithas, aelod seneddol unwaith, a thrwy'r degawdau fe ddeuai pobl yn bwysig i'r cwm – chwaraewyr rygbi wedyn – a thrwy'r cwbl fe ddychwelent i'w dimbydwch. A Jo oedd wrth law i'w cludo yno. Anfarwol yn wyneb marwolaeth, fe allech chi ddweud.

Ond does neb, mewn difri calon, yn ystyried hyn heddi'. I'r cwm, marwolaeth yw marwolaeth, ac roedd Jo *yn* hen beth bynnag. Ac ma' pawb wedi bod mewn cymaint o angladdau hen bobl yn ddiweddar fel nad oes yn hon ddim byd i'w gwneud yn wahanol i'r un arall. Mae'r galarwyr yn aros nes i'r lorri lo nesa wasgu llond car o fechgyn ifainc yn rhacs, neu tan i fws y clwb rygbi blymio tri chan troedfedd i mewn i geunant y tu allan i Glencoe, a'r bois ar ganol eu trip – 'Boys on Tour Ninety-four' – blynyddol, neu tan i'r gweinidog farw, ar ganol tipyn o *bedroom gymnastics* gyda gwraig y pen-blaenor. Maen nhw'n aros am stori. Yn aros am *real* angladd. Ond tan hynny, fe fydd yn rhaid i baned o de cryf a brechdan samwn, er cof am 'Jo bocsys' wneud y tro. Ac ma' pawb yn llawn defosiwn a pharchedigrwydd – ydyn, maen nhw'n hen lawiau ar dynnu'r *stops* angladdol mas – a dim un ohonyn nhw, mewn gwirionedd, yn teimlo llawer o ddim. Nid bod unrhyw un yn fwriadol oeraidd, neu'n ddi-hid; jyst bod pawb yn ymddangos fel pe baen nhw ar wahân i bopeth.

A dyw marwolaeth Jo ddim yn effeithio llawer ar 'y mywyd i, chwaith. Jyst yn un o'r pethau hynny sy'n digwydd. 'Shit happens', ond ife. A dwy' ddim yn meddwl llawer am fywyd Jo yn ystod yr angladd. Yr hen esgus, 'Do'n i byth yn 'i nabod e, chwel . . .' Ar y ffordd 'nôl i'r festri, i'r te oedden ni pan feddyliais i am y *rant* uchod. A phan 'ych chi'n meddwl am bethau fel 'na, fe ddylai marwolaeth Jo fod o'r pwys mwya i mi. Ydw i wir yn credu nad ydi marw pob dyn arall yn fy 'niminisho i'? Ydw i? Dwy' ddim mor siŵr erbyn hyn. Hynny yw, rwy'n gwybod nad yw marwolaeth dyn yn Bogotá yn effeithio arna i, achos bo' fi ddim yn nabod y dyn hwnnw, nac unrhyw un arall sy'n byw yn Bogotá petai'n dod i hynny. Ond ydy hynny'n esgus digonol? Dwy' ddim yn credu 'i fod e. Dwy' ddim yn nabod unrhyw un yn Bogotá, ond rwy'n gwybod am y marw sy'n digwydd yno. Bob dydd ma' 'na ddynion canol oed, y rhai hynny a freuddwydiodd, yn fechgyn, am fod yn bêl-droedwyr, neu'n ofodwyr, neu beth bynnag ma' bechgyn Bogotá yn breuddwydio am fod, yn marw. Maen nhw'n marw'n unig, ac ma'u hangladde nhw'n bethe bach digon diffwdan. Ma'r prosesiwn yn mynd trwy strydoedd Bogotá, ac ma' pawb yno mor gyfarwydd â gweld prosesiwn angladd fel eu bod nhw'n parhau i werthu'u ffrwythau, neu lanhau sgidie . . . Ac yn eiliad y marw, ma'r dyn canol oed yn dweud 'Rwy'n ddim. Dwy' ddim wedi cyflawni unrhyw beth. Does gen i ddim i'w wneud ond marw, a wnaiff marw hyd yn oed ddim ond pwysleisio'r ffaith 'mod i'n ddim byd'.

Ma' David a Glenys yn y *crem* am un. Yn eistedd yno yn eu dillad smart, oherwydd bod David, yn enwedig, yn gallu gwisgo *smoking jacket* rownd y tŷ y dyddie hyn. A tasen i'n marw fory, neu'r wythnos nesa, fe fydden nhw'n dod i fy angladd i. Ac ma' pobl eraill yn mynd i ddod i f'angladd i ac yn mynd i feddwl am ddyn a dreuliodd ran fwyaf ei fywyd yn Llundain, o olwg pawb, ac maen nhw'n mynd i ddweud, 'O'n i ddim yn 'i nabod e, chwel. Maen nhw'n gweud odd e'n foi od, ond o'n i byth yn 'i nabod e.' A beth ydw i'n 'i wneud yn adrodd fy blydi *life story* os ydy pobl yn mynd i droi rownd a dweud mewn lleisiau bach cwynfanllyd, 'O, o'n i byth yn 'i nabod e'. Y pwynt yw fod Jo yn enghreifftio popeth y dylwn i fod yn ei werthfawrogi. Fe yw'r dyn bach, y gŵr anghofiedig. Ac rwy' i'n hoffi meddwl 'mod i'n arwr trasig – 'Death of a sometime insurance salesman' – ond *bullshit* yw hwnna. Fy nyrchafu fy hun i deip ydw i. Fy ngwisgo fy hun yn nillad crand 'Arwr Pob Dyn Bach Ymhobman'. Ond Jo oedd y cymeriad hwnnw, mewn cig a gwaed. Mae e wedi marw, a does neb yn becso o gwbl. Ac os na alla i gydnabod hyn, yna fydda i ddim yn haeddu gwell nag angladd gachlyd 'nôl yn y cwm, gyda'r un hen wynebau, yn gwisgo'r un hen siwtiau du, yn dweud, 'Boi ffein, Ron, boi ffein'. Fe ddylwn i fod yn crio yma heddiw; fe ddylwn i fod yn llefain nawr, yr eiliad hon, am na fyddwn i'n disgwyl llai gan unrhyw un a ddeuai i fy angladd i.

Ond dwy' ddim yn crio, ddim yn llefain o gwbl, a dwy' ddim hyd yn oed yn meddwl am Jo. Rwy'n meddwl, yn hytrach, am:

Y Sinema. Y Plaza yn y dre. Mae hi'n naw o'r gloch, ar nos Wener. Ond dwy' ddim yn cofio pa nos Wener chwaith. Oherwydd pan 'ych chi'n ifanc, ac yn byw yn y cwm, ac yn enwedig os ydy'r duwiau wedi gweld yn dda i ganiatáu i chi gariad, yna does 'na ddim ond un lle y gallwch chi fod, a'r Plaza yw hwnnw. A dwy' ddim yn dweud hyn fel math o gyflwyniad *showbiz* i'r lle – 'Ladies and Gentlemen, the one, the only Plaza Theatre!' – rwy'n dweud hyn am ei fod yn wir noeth a phlaen. Doedd 'na ddim ond un lle y gallech chi fod ar nos Wener. A hyd yn oed petaech chi ishe mynd i rywle arall, ac yn teimlo y byddai noson arall yn y cwm jyst yn *rhy* debyg i farwolaeth ar ddihun, allech chi ddim, oherwydd y Plaza oedd *yr* unig le posib i bobl ifainc fynd iddo (pan fydden nhw wedi gorffen eistedd ar y fainc yng nghanol y dre, hynny yw). Roedd hi fel petai Les Dennis wedi gofyn cwestiwn ar *Family Fortunes* (ydy, mae unigrwydd yn gwneud pethau erchyll i bobl): 'We asked 100 youngsters from the *cwm* what they did on a Friday night. You said go to the Plaza, our survey said . . . go to the Plaza!' Ond dyna ni. Ro'dd pawb jyst yn derbyn y peth, ac yn derbyn y sefydliad ar ei delerau'i hun. Roedd y lle wedi'i godi er mwyn cynnig adloniant i bobl, ac roedd y bobl yn benderfynol o gael adloniant yn y lle, hyd yn oed tase hynny'n golygu eistedd drwy ffilm Marilyn Monroe. (Mae hi hyd yn oed yn bosib mai gormod o ddewis yw'r drwg i lawer o blant heddiw, ond dwy' ddim eisiau pregethu. *No, not I*. Ac mae'n siŵr fod prinder dewis wedi gwneud lles i ni hefyd. Wel i fi, beth bynnag.) Pan oedden ni'n bedair ar ddeg aeth bois yr Angor i mewn i weld y *Godfather* – ro'dd brawd un o'r bois yn gweithio yno – ac er bod dim un ohonon ni'n deall yr iaith na'r digwydd yn iawn, eto, ro'dd y peth yn gafael rhywsut. Wel fe afaelodd ynddai, beth bynnag.

Ac o hynny ymlaen dwy' ddim yn credu i mi fethu

ffilm am flynyddoedd. Oherwydd y peth gorau ynglŷn
â'r Plaza oedd mai dyna oedd yr unig beth i'w wneud.
Ac oherwydd mai dyna oedd yr unig beth i'w wneud,
bydden ni'n mynd yno erbyn wyth bob nos Wener. Ac
oherwydd fod y Plaza ddim yn *UCI Ten-screen
Multiplex*, fe fydden nhw'n dangos un ffilm yr wythnos,
ac fe fyddwn i felly'n gweld yr un ffilm honno. Doedd
'na ddim dewis, ac fe weles i bob math o rybish, do,
ond bob nawr ac yn y man mi fydde 'na glasur. Erbyn y
Godfather Part II ro'n i'n ffyddlon i'r lle. Ac er 'mod
i'n dal yn ifanc bryd hynny, ac er bod bois yr Angor
wedi stopio mynd mor aml – *cocaine*, erbyn hynny –
eto bydde brawd pa foi bynnag oedd yn gweithio yno
yn dal i 'ngadel i i mewn, ac roedd hynny'n grêt. Rwy'n
credu 'mod i'n mwynhau'r Plaza ei hun ar y dechrau,
yn fwy na dim. Yn mwynhau bod ar 'y mhen yn hun
yno, jyst fi a Dustin Hoffman, neu Al Pacino (do'n i
byth, fel mae'n digwydd, yn ffansïo merched y ffilmiau,
nac yn gallu'u heilunaddoli, fel roedd rhai o'r bechgyn
yn yr ysgol yn ei wneud. Ro'n i wastad yn credu,
rhywsut, fod yr arwyr yn fwy credadwy). Ac i fachgen
nad oedd yn gwylio llawer o deledu – mae'n bosib
hefyd taw'n teulu ni oedd yr olaf un yn y cwm i brynu
set – roedd y lluniau ar y sgrin yn anhygoel. Jyst y
lliwiau, a'r ffordd y byddai'r actorion yn cerdded; fe
wnaeth hyn, yn fwy na sawl peth arall, argraff ddofn
arna i. Yn yr ysgol fe fyddwn i'n dychmygu 'mod i'n
cerdded fel bois y ffilmie. Ond fyddwn i ddim yn
swagro o amgylch yr iard, nac yn dychmygu 'mod i'n
cerdded yn y modd y gwnâi Robert Redford: yr hyn
fyddwn i'n ei wneud oedd dychmygu fod pobl yn
gweld fy ngherddediad cyffredin i fel yr oeddwn i'n

gweld camau'r sêr. (Ac roedd hyn yn diogelu'r byd ffantasi rhag y cweir sy'n dechrau, 'Look who thinks 'e's Robert Redford.') Oedd, roedd y Plaza fel manna'r nefoedd. Ac erbyn i fi, *slowcoach* y dosbarth, gael cariad o'r diwedd, ac erbyn i'r consensws ddeddfu mai'r lle i fynd â chariad oedd i'r Plaza ar nos Wener, roeddwn i'n hen gyfarwydd â phob twll a chornel yno. Mantais ddigamsyniol. Oherwydd pe digwyddai i'r dasg o siarad â Rachel fod mor anodd â cheisio cynnal sgwrs ddeallus â brws toilet, yna fe fyddai'r ffilm yno i f'achub. A chyn gynted ag y byddai'r goleuadau'n diffodd, fe allwn i ddychmygu 'mod i ar fy mhen fy hun eto . . .

Ond y mae'r nos Wener arbennig hon, y nos Wener sy'n mynnu gwthio'i ffordd i flaen fy meddwl, er gwaetha difrifoldeb llethol y *crem*, yn wahanol. Mae hi'n nos Wener sy'n mynnu aros yn y cof, a hynny am ei bod hi'n noson dda, nid yn noson ffilm dda. Roeddwn i a Rachel wedi bod yn 'mynd mas' (a dwy' erioed wedi gallu yngan y geiriau yna heb ddychmygu fod 'na grŵp o ferched ifanc gerllaw, a'u dwylo nhw dros eu cegau, yn chwerthin 'hihihi'. Roedd 'canlyn' wastad yn air a berthynai i'r cwm nesa, a 'caru' i'r cwm nesaf eto, felly ni gafodd yr anffawd o orfod 'mynd mas' gyda merched) ers rhai wythnosau, falle dwy, tair, ac roedd y ddau ohonom ni'n ddigon hyderus fod y llall yn ein ffansïo i'r holl fusnes fod yn eithaf pleserus (a ddim yn ddyletswydd, fel y bu hi cyn hyn). Doedd dim rhaid i fi siarad yn cŵl rhagor, ac roeddwn i'n hynod falch o hyn, er i mi frolio sawl gwaith wedi hynny gymaint o ffilmie yr oeddwn i wedi'u gweld. Ac er bod hynny cystal â dweud 'Oes, mae gen i bersonoliaeth, diolch am ofyn', eto roeddwn i'n mwynhau dweud wrthi, ac roedd hi'n mwynhau, neu o leia roedd hi'n rhoi'r argraff ei bod hi'n mwynhau clywed. A doedd dim angen iddi ddweud gair. Dim ond codi'i haeliau ychydig, a rhoi hanner gwên pan fyddwn i'n dweud, 'Weles i'r ffilm hon gyda'r actor hwn rhyw ddeufis yn ôl', ac fe fyddwn i'n hapus; yn gallu parablu nes bod yr afon arbennig honno'n sych, a hynny mewn modd nad oeddwn i wedi gallu'i wneud o'r blaen. Doedd gan Mam na Dad ddim llawer o ddiddordeb yn y sinema, a fydden nhw ddim hyd yn oed yn gofyn sut ffilm oedd hi pan gyrhaeddwn i yn ôl i'r tŷ, ar nos Wener.

Mae'n debyg wedyn fod cariad wedi blaguro am fod Rachel yn rhy neis, neu'n rhy garedig, neu'n rhy despret i ddweud wrtha i am gau 'mhen. Ond rwy'n siŵr, hyd yn oed heddiw, nad yr olaf o'r rhain oedd hi. Doedd hi ddim yn despret o gwbl. Roedd hi'n fy lico i. (Rwy'n credu.) Ac roeddwn i'n gallu siarad â hi'n iawn; yn gallu dweud wrthi sut yr oedd Marlon Brando wedi cael brês a phadiau yn ei geg cyn gwneud y *Godfather*, pam yr oedd cymeriad Martin Sheen yn *Badlands* yn sylfaenol dda er ei fod e'n ddrwg ('Mae e'n cynrychioli dicter pobl, twel. Mae e'n grac gyda'r byd.'), sut yr oedd nyrsys wedi gorfod bod wrth law mewn rhai sinemâu a ddangosai'r *Exorcist*. Ond *trivia* bachgen ysgol oedd hyn i gyd. Pytiau o wybodaeth am ffilmiau yr oeddwn i'n rhy ifanc i wybod yn iawn amdanynt, ond yr oedd gallu perswadio Rachel 'mod i'n eu deall nhw, ac yn *aficionado* arnyn nhw, yn ennill pwyntiau da i mi. Gwybodaeth bachgen ysgol. Ffeithiau sydd i fod i brofi crebwyll miniog y bachgen pedair ar ddeg hwn. Fel bod yn fyfyriwr dosbarth chwech sy'n dyfynnu

Sartre. Ro'n i'n creu fy *mystique*. Yn ceisio creu rhyw hynodweddau a fyddai'n gwneud i mi yr hyn a wnaeth pâr o sbectol NHS i John Lennon. A gan nad oeddwn i wedi dechrau smoco gyda gweddill y bechgyn, nac wedi dechrau ar y broses oennill enw fel ymladdwr ffyrnig ar gyfer y dyfodol tafarnaidd, roedd yn rhaid i'r sinema fod yn *image consultant* i mi. A dyna pam fy mod i'n siarad yn ddi-baid am gyfarwyddwyr ac yn cyfeirio atyn nhw yn ôl eu cyfenwau yn unig. Yn treulio ffilm gyfan yn egluro cymhelliant cymeriad, ac yn dweud geiriau fel 'dicter' ac 'uniaethu' yn rhy aml o lawer. (Wrth edrych yn ôl ar y cyfnod 'diddorol' hwn, bron nad ydw i'n aros i Woody Allen dynnu Marshall McLuhan o'r tu ôl i sgrin, ac iddo fe ddweud, 'Really, you know nothing at all about anything. How this girl came to believe anything you've said is completely beyond me.') Trio creu personoliaeth. Ac ydw i'n dal mor ffyddiog nad despret oedd hi wedi'r cwbl? Na. Ond doedd hi ddim yn ymddangos felly ar y pryd. Roedd hi'n dwlu arna i. A thra byddwn i yno, yn y sinema gyda hi, ac wedi ymgolli'n llwyr yng nghyfaredd y freuddwyd mai ni oedd Jack Nicholson a Faye Dunaway, dyna fyddai hyd a lled fy mywyd bach adolesant i.

*   *   *

Ond y dydd Gwener arbennig hwnnw. (Y dydd Gwener hwnnw y mae hi'n cymryd oes i mi sôn amdano. Sori.) Roedd e'n ddigon tebyg i bob un arall. Ond yn wahanol hefyd . . .

14. Ba sentimentaleiddiwch?

Brechdan samwn, a does 'na ddim llawer y gallwch chi 'i ddweud am frechdan samwn, mewn gwirionedd. Mae'r bara'n wyn, y samwn yn binc – John West, siŵr o fod, achos ma' gan fenywod y cwm *safonau* pan ddaw hi'n fater o wneud brechdanau i de angladd – a haenen denau o *marge* yn gludio popeth at ei gilydd. (Dim ond gyda brechdanau samwn y mae *marge* yn dderbyniol, gyda llaw. Unrhyw beth arall ac r'ych chi'n gallu 'i flasu fe'n syth.) Brechdan samwn, a llif cyson o rychau, *blusher* a *blue rinses*:

'Wel Dafydd bach, shwd 'ych chi? [A gyda mwy o deimlad wedyn:] Shwd 'ych chi? Smo ni wedi'ch gweld chi ers pan o'ch chi seis 'na.'

Maen nhw'n gosod eu dwylo ar ben *pygmy* dychmygol. Fel mae'n digwydd, Anti Bet/Mari/Gladys, roeddwn i'n dair ar hugen pan weles i chi ddwetha. Yn bum troedfedd deg modfedd a thri chwarter, felly *leave it out*.

'O, 'wy'n iawn diolch. Shwd 'ych chi.' [Heb y marc cwestiwn, hynny yw.]

'Lle dda. Gallwn ni byth â cwyno, gallwn ni, Doris/ Dilys/Mabel? Ond gwetwch, shwd ma' pethe 'da chi lan sha Llunden? Mynd yn oreit?'

'Odi, grêt diolch.'

'O ie?'

Dyma'r rhan o'r cyfweliad lle ma' disgwyl ichi wneud eich datganiad personol. Fel tasech chi'n ceisio am swydd. Dywedwch, yn eich geiriau eich hun, pam y dylem ni eich trafod chi yn ein cyfarfodydd Merched y Wawr. 'Wel, ma' fflat fach gyda fi, dwy stafell wely a chegin a lolfa *open plan*. Dim gwraig ond wel, ch'mod, byw mewn gobaith ife.' [Ha, ha, w ie, a thipyn o wincio a nodio, fel tase *sexual frustration* yn gysyniad byw ac iach yng nghartrefi capelyddol fy hen antis i gyd.] 'Wy'n ennill thyrti tw thywsynd y flwyddyn ac yn gyrru Alfa Romeo.' Ond does gen i mo'r awydd na'r egni i ddweud llawer o ddim byd.

'Ie. Grêt, diolch.'

'O, 'na fe ten. Gwd.'

Ychydig o eiliadau o dawelwch wedyn, wrth i'r fodryb, fe'i galwn ni hi'n Anti *x*, edrych arna i gyda chymysgedd o edmygedd, hiraeth 'am y dyddie pan o'n i'n arfer myn' â ti lawr i'r parc yn y *pushchair*', a llygaid barcud sydd yn chwilio'n ddyfal am unrhyw fai neu destun sgwrs. 'Wel. Gretwch chi byth. Ma' fe weti ca'l *earring*. Oti. A ma' *tattoo* 'da fe. Cyllell. Reit ar draws 'i wyneb e. Wel sai'n gwpod beth sy wedi dicwdd iddo fe, nagw i wir. Odd e shwd fachgen ffein.'

'Chi moyn paned, Dafydd?', ymhen hir a hwyr. 'Ma'ch mam newydd ferwi dŵr twym nawr.'

'Ie. Iawn. Diolch yn fawr.'

Ac wrth i un adael, ma' un arall yn cyrraedd.

'Wel, Dafydd bach, shwd 'ych chi? Smo ni wedi'ch gweld chi ers . . .'

Ie ie ie.

Bydde' ca'l Mam wrth f'ochr i yn help mawr. O leia ma' hi'n gorfod byw gyda'r bobl hyn, a ddim yn debygol, felly, o ddweud wrth Anti ei bod hi'n hen ast fusneslyd sy'n gwynto fel *rep* i gwmni gwneud talc *Scent of*

112

Ageing. Ond ma' Mam, wrth gwrs, ym mhen pella'r stafell, yn arthio a chwyno wrth y *troops*, sydd i fod yn helpu i arllwys te i bawb. (Ma' te angladd yn gallu penderfynu pwy fydd yn cynnal boreau coffi'r flwyddyn nesa'n gyfan. Un frechdan wag, neu un baned o de nad yw'n ddigon cryf i stripo walydd eich tŷ, a gewch chi 'weud ta-ta wrth fod yn *hostess* am byth, fwy neu lai.) Ac ma' hi'n prysuro o amgylch y dynion wedyn, i wneud yn siŵr fod pawb â'i gwpan yn llawn (yn llythrennol, wrth gwrs. Does 'na fyth siarad am grefydd mewn festri neu de angladd yn y cwm), fel lleuad yn cylchu planed. 'Mwy o de, Mr Jones,' neu 'Olwen, dewch â darn o dishen i'r Gweinitog,' gan sicrhau wrth wneud hynny ei rôl fel arlwywraig swyddogol y capel. Arlwywraig drwy ordeiniad Duw. Mae hi'n dychwelyd at ei thanc dŵr twym wedyn, ac yn gweinyddu'r *operation* gyda brwdfrydedd parchus, cynnil. Sydd yn golygu fod yn rhaid i mi f'amddiffyn fy hun, yn erbyn holl ymosodiadau *S.S.* (*Ladies' Division*) y cwm.

*   *   *

Noson dda, yn hytrach na noson ffilm dda, cofiwch. A dwy' ddim yn credu i fi gael gormod o'r rheiny. Oherwydd roedd hi fel petai'r trip i'r sinema wedi'i rannu'n ddwy. Yn gynta roedd yn rhaid cyrraedd y lle: cerdded o adre i ganol y dref, ciwio i brynu tocyn, cael fy ngwasgu'n bob siâp gan gyrff eiddgar, cyn ciwio wrth y cownter popcorn. A thra nad oeddwn i'n casáu cael fy ngwthio yn y ciw, nac yn meindio'n ormodol fod pobl yn meddwl y gallen nhw wthio o 'mlaen i jyst achos 'mod i'n ifanc ac yn fach, eto doedd y profiad byth yn arbennig o gofiadwy ynddo'i hun. A dim ond ar ôl i fi wneud hyn oll, ac ar ôl i fi roi fy nhocyn yn llaw'r casglwr tocynnau, dim ond bryd hynny y byddai'r noson yn dechrau'n iawn. Dim ond ar ôl i fi gael gwared ar y tasgau diflas ac ymarferol hyn y byddwn i'n caniatáu i fy meddwl droi at y ffilm yr oeddwn i'n mynd i'w gweld; i ddychmygu'r cyffro yr oeddwn i'n mynd i'w deimlo, a dychmygu'r wefr a ddeuai bob wythnos o sylweddoli fod yr *house lights* yn graddol gael eu diffodd. Ac mae'r noson hon yn unigryw, felly, fwy neu lai. Yn un noswaith pan oedd y digwydd ar y sgrin yn ail diflas i'r digwydd go-iawn. Bron na allech chi ddweud 'mod i wedi bod yn rhy brysur yn byw fy hun i ymroi ag unrhyw angerdd i fywydau pobl eraill. Ac er ei bod hi'n bosib taw un o'r *Carry Ons* uffernol oedd y ffilm y noson honno (ydych chi wedi gweld *Carry On England*?), a 'mod i'n cofio manylion bach dibwys fel lliw tei y gwerthwr popcorn, neu liw glas y carped yn y *foyer* er enghraifft, yn absenoldeb unrhyw atgofion sinematig gwerth chweil, a thra byddai hyn yn ddigon posib pe bai hi'n noswaith arall (wedi'r cyfan fe weles i lwyth o ffilmie gwael heb iddyn nhw erioed ddryllio fy mwynhad o'r sinema ei hun), eto, roedd y dydd Gwener arbennig hwn *yn* arbennig.

*   *   *

Rwy'n gwybod yn syth.
'Ym . . . Dafydd?'
Ma'r pwyslais yn wahanol, yn ansicr braidd, ac yn betrus. Rwy'n codi fy llygaid o'u diddordeb ym mhlanciau'r llawr ac yn syllu i wyneb . . . Glenys.

'Dafydd. Helô. O'n i'n meddwl taw chi odd 'na. 'Odd yn flin 'da fi glywed am Joseff.'

Joseff? O ie.

'O . . . y . . . diolch . . . ym . . . iawn . . . ie.'

Hanner gwên wedyn, cyn penderfynu efallai nad yw hyn cweit yn weddus, a rhoi rhyw amnaid bach, nodio 'mhen a chodi f'aeliau ychydig, i gydnabod dwyster y digwyddiad.

'Shwd 'ych chi? A'r teulu? 'Wy wedi siarad â'ch mam yn barod. Ma' hi'n falch i'ch gweld chi eto, wy'n credu. A'ch tad.'

'Ie . . . ym . . . wy'n iawn, diolch. A chi?'

'O, 'yn ni'n iawn. David a fi. 'Ni wedi riteiro nawr, chwel.'

'Ie. O'n i'n clywed. Tra'd lan o'r diwedd, ife?'

D'yn ni erioed wedi cael 'sgwrs oedolion' gyda'n gilydd.

'Wel, ie, ond 'yn ni'n trio cadw'n fishi. Ch'mod. Ma' David yn 'neud mwy 'da'r Clwb dyddie hyn. A Dan. Ma' fe'n gadeirydd nawr ch'm . . .'

'Ie. Weles i fe nithwr, yn yr *Oak*.'

'O, 'na fe . . . o, sori. Chi'n nabod Gwyneth on'd 'ych chi Dafydd. Yn chwâr i. Ma' Dafydd, Gwyneth. Chi'n cofio . . . Dafydd.'

Ma' hi'n cofio.

'O ie . . . Dafydd. Ond ma' sbel ers 'ny. O ie. Shwd 'ych chi, Dafydd?'

'Iawn. Ie. Diolch. Iawn.'

Mi fedra' i 'i gweld hi'n gwneud cyfrif sydyn o'r holl flynyddoedd. 'Dafydd, Dafydd . . . O ie. Neintîn sefnti thri.' Maen nhw'n nabod y teulu, ydyn, ond Dafydd yw, wel, Dafydd yw Dafydd. Yr enw hwnnw sy'n corffori'r gorffennol, yr enw hwnnw sy'n dechrau bob amser gyda'r llythyren 'o' ac yn gorffen yn 'druan'. Enw a pherson annwyl. Rhan o'r gorffennol, rhan ffurfiannol hyd yn oed, ond byth yn fwy na *bit part*. 'O ie . . . Dafydd.'

Fe fyddwn i wedi gofyn sut oedd hi. Pa mor aml maen nhw'n clywed ganddi. Oes ganddi hi, nhw . . . Fe fyddwn i wedi gofyn.

*   *   *

A phan fydda i'n meddwl amdani hi, ac am olygfeydd sy'n nodweddu gwahanol gyfnodau, gwahanol deimladau, fe fydda i'n meddwl yn aml am y nos Wener honno. Ac er na alla i gofio dim am y ffilm, fe alla i gofio cerdded o'r sinema a gwenu. Ac nid jyst gwenu, ond *gwenu*. Gwenu, a theimlo 'mod i ar fin byrstio gan hapusrwydd. A gwenu er mwyn i bawb gael gwybod. A cherdded fel Robert Redford, a gwenu eto, a phob gronyn, defnyn, diferyn, beth bynnag yw mesur hapusrwydd, yn ymledu dros bobman drwy'r wên. A diflannu am eiliad i'r toiledau, ond heb adael i hyd yn oed hynny bylu dim ar y wên. A piso yno, yn un o'r *cubicles*, a theimlo mor hapus nes 'mod i eisiau i bopeth adlewyrchu hynny. Piso, felly, a gwneud cylchoedd o amgylch y bowlen mewn hapusrwydd, a meddwl 'mod i eisiau i ti 'ngweld i yno, yn piso mewn llawenydd pur. Yn piso mewn llawenydd pur o dy achos di. Ac eisiau dangos fy myd yn gyfan i ti. Eisiau i ti fy ngweld i'n piso, eisiau i ti feddiannu popeth, gweld popeth (nid yn llythrennol, fe ddeellwch; fe ddaeth hynny ychydig yn nes ymlaen . . .), a rhannu popeth

116

gyda fi. A theimlo'n hyderus. Teimlo na allai bachgen (na neb yn y byd, o ran hynny) ddisgwyl teimlo'n hapusach nag yr oeddwn i yno. Roeddwn i eisiau i ti fy ngweld i. Fi. Ro'n i'n teimlo 'mod i'n arwr yno. Yn teimlo fel *film star* o'r diwedd. Ond yn well na hynny hefyd. Yn teimlo'n real, ac er bod sêr y ffilmie'n gryfach ac yn glyfrach ac yn bertach (ond nid yn bertach na ti chwaith), roeddwn i, roedden ni, yn real. Ac fe allai hyn barhau am byth. Ein *feature film* ni, a wnâi'r camera ddim tynnu 'nôl nes gwneud yn siŵr fod 'na fachlud perffaith i ni gerdded, ym mreichiau'n gilydd, tuag ato. Ro'n i eisiau i ti rannu hyn. Eisiau i ti fy ngwerthfawrogi i. Ac nid jyst fel rhywun i fynd i'r sinema gyda fe, neu i'w gusanu'n gyflym ar stepen drws tŷ dy rhieni, ond fel rhywun yr oedd pob peth bychan amdano yn ffilm gynnes, gysurus ynddo'i hun. Fel rhywun y gallet ti ymgolli ynddo.

Ond doedd dim posib i ti weld hyn oll mewn un wên.

A dwy' ddim am ymddiheuro am fod mor ddigwilydd o sentimental, er cydnabod hynny hefyd. Pam na ddylwn i gael rhamantu am ychydig? Trwsio ychydig ar yr atgofion hynny sydd wedi'u camu gan y blynyddoedd *prosaic* (a d'ych chi ddim yn gallu gweithio am oriau bob dydd bob wythnos bob mis mewn swyddfa yswiriant heb i'r gair *prosaic* ddod yn beryglus o agos ati). Tacluso. Ychwanegu peth lliw fan hyn, neu dorri gair fan draw, rhoi *zoom* ar dy wyneb di, neu ar fy meddyliau i. Gadael i'r camera aros am yr un eiliad ychwanegol honno, nes gwneud syniad neu ddelwedd neu deimlad yn deimlad gyda D fawr drosiadol. Pam na ddylwn i roi ffrâm am fy atgofion i, eu gwneud nhw'n *widescreen*? Pam lai?

Fe fydda i'n meddwl weithiau mai'r peth hawsaf yn y byd ydy bod yn sinigaidd a negyddol. Ac yn aml dyw sinigiaeth ddim yn safbwynt sy'n gofyn am ryw lawer o gyfiawnhad, nag yw? Rwy'n meddwl am Woody Allen, er enghraifft ('Does dim ots achos ma' popeth yn *pointless, anyway*'). Ac er 'mod i'n ffan mawr o'i ffilmie fe (ma' rhai ohonyn nhw *yn* wirioneddol wych), eto alla i ddim peidio â meddwl bod llawer o'r sinigiaeth sy'n symbylu'r ffilmie wedi'i ... ac os nad ffugio yw'r gair iawn, yna fe ddwedwn i ei fod wedi'i orliwio i ryw raddau. A hynny am fod diflastod ac anffawd ac anhapusrwydd yn fwy diddorol o lawer na chwilio am yr elfen ddaionus mewn pobl ac mewn bywyd. Ond mae hi fel petai Hollywood wedi creu cymaint o 'straeon serch tyner a hyfryd' fel bod y mymryn lleiaf o amheuaeth yn cael ei weld fel athrylith. Ma' Mr Allen yn dweud, er enghraifft, yn gwbl ddiamwys, fod bywyd naill ai'n ofnadwy – haint, salwch, anabledd – neu yn ddiflas – pawb arall – ac yn sydyn reit mae e'n 'gyfarwyddwr mwya gwreiddiol ei genhedlaeth' ac yn 'weledydd craff a sylwgar ar ddynol ryw'. Dim gair am y gwrthddywediad mwyaf amlwg ohonyn nhw i gyd: os diflas, pam hyd yn oed boddran ceisio bod yn ddoniol? Ond fe all unrhyw un, yn fy marn i beth bynnag, fod yn sinic. Mae e'r peth hawsa'n y byd. A beth sydd mor uffernol o glyfar am ddangos a chydnabod abswrdiaeth bywyd, ac ymdrybaeddu yn ei holl noethni digyfaddawd? Beth sy'n gwneud y dyn diflas mor graff? Dwy' ddim yn deall. Beth yn y byd all fod yn fwy twp na mynd ati o ddifri i brofi bod eich bywyd chi'n hollol ddiwerth? Mae e fel gwario £40,000 ar Lambourghini a pheidio bod yn hapus nes i chi ei lapio fe am ganol y dderwen agosa.

Ac fe ddylwn i wybod. Y fi, sydd wedi treulio rhan fwyaf ei fywyd 'aeddfed' yn lled-orwedd mewn rhyw *angst* dosbarth-chwechaidd, yn ei berswadio'i hun fod hunandosturi'n gyfystyr â dioddefaint nobl. A chymaint felly nes meddwl ar un adeg 'mod i *yn* rhyw fath o gymeriad Woody Allenaidd ond heb y jôcs. Ond dwy' ddim eisiau bod fel hyn. Dwy' ddim eisiau bod yn ddiflas nac yn besimistaidd. Tase hi'n ddewis syml rhwng bod yn hapus neu'n anhapus, wrth gwrs, hapusrwydd fydde'n ennill bob tro. Ond dyw hi ddim yn fater syml o ddewis ac ymrwymo i ddilyn un llwybr, ac un llwybr yn unig. Ma' bod yn hapus yn golygu lot o waith paratoi. Mae e'n golygu tipyn o waith caled. Ennill arian, 'canfod eich enaid eich hunan', darllen cefn pob bocs matsys yn fanwl fanwl. (Heb sôn am lafurio i ganfod beth yw hapusrwydd yn y lle cynta. Fel y cerddi yna y maen nhw'n gorfodi plant i'w cwblhau mewn ysgolion: 'Hapusrwydd yw . . . beic newydd gan Siôn Corn, crys pêl-droed newydd, *Star Wars figures* etc etc'.) Ond rwy'n gwneud fy ngorau, fy ngorau glas hefyd. *Think a good thought* ac ati. Rwy'n ceisio bod yn bositif. Hyd yn oed mewn angladd. Ac os oes 'na un delfryd a ddylai ddiffinio'r bythefnos hon sy'n dod, yna positifrwydd yw hwnnw. (Naill ai positifrwydd neu dwpdra hollol, ond llathenni o'r un brethyn, mae'n debyg . . .) Ac rwy'n gwneud real ymdrech. 'Pam mynd i gwrdd â gofid', fel bydde Mam yn dweud, pan fod 'na lwybr aur yn ymestyn tua'r gorwel, a'r machlud perffaith hwnnw . . . Oes, mae'n rhaid wrth ambell i dric camera, ond pa wahaniaeth? Gwybod sut i drin ei ddeunydd fu camp sylfaenol pob cyfarwyddwr da erioed, a dyw hyn ddim mymryn yn wahanol. Toriad bach fan hyn, *close up* fan yna, pa wahaniaeth?

15. *Fin*

Ac mae hi'n rhyfedd sut mai'r pethau bychain sy'n aros yn y cof. Yr eiliadau. Yr argraffiadau. Y pethau hynny na ddylen nhw fod yn fwy nag *also rans* yn y *dividend forecast* mawreddog. Fel yr hufen iâ hwnnw ar ddiwrnod gaeafol ym Mhorthcawl, ac nid y syniadau uchelgeisiol am dripiau i bedwar ban byd. Neu doiledau'r Plaza, neu *Pot Noodle* ar nos Sadwrn, ar ôl amlosgi'r *Coq au Vin*. Y pethau bychain, y dinod cysurus. Yr *11-10 favourites*, ac nid yr *100-1 lucky shot*. (Wrth gwrs mae'r rheiny'n aros hefyd, fel y mae popeth, ond mewn rhan arall o'r cof. Rwy'n sôn fan hyn am y RAM, y *Random Access Memory*. Yr atgofion hynny nad oes gennych chi reolaeth dros eu hymddygiad ac sy'n fflachio ar hyd y sgrin heb i chi 'u galw nhw i gof. Yr atgofion hynny sy'n digwydd mor aml nes eu bod nhw'n rhan o'r presennol . . .) Rwy'n meddwl am rai atgofion yn arbennig; *genres*; atgofion sydd â'u cymheiriaid yn llên gwerin dychymyg pawb. Er enghraifft:

Yr olygfa honno lle r'yn ni'n ifanc, ond heb fod yn rhy ifanc chwaith, ac yn gwrando ar recordiau yn fy stafell i un noswaith ar ôl ysgol, a'r ddau ohonom ni'n gwybod geiriau'r caneuon yn iawn (am fod hynny'n un o'r pethau oedd yn 'ddeniadol' yn y llall), ond yn hymian y geiriau yn lle 'u canu. Am nad oes gen i un gân yn fy nghasgliad cyfan nad yw'n cynnwys y gair 'love'. Wna i ddim ceisio rhoi'r peth ar ffurf deialog; fe allwch chi ddychmygu'r olygfa'n iawn eich hun.

Neu'r cellwair sy'n ei dilyn. 'Rwy'n dy g . . . ofio di'n gwisgo dy wisg draddodiadol yn yr ysgol gynradd,' a'r ddau ohonom ni'n eitha siŵr ein bod ni am ddweud y geiriau, ond heb fod eisiau bod y cynta' i wneud, rhag . . . wel, rhag gwneud beth bynnag sy'n fraw mwy na braw i chi pan 'ych chi'n ifanc, yn meddwl eich bod chi *on to a winner*, a phan 'ych chi'n ddigon swil beth bynnag. Profiadau, teimladau, argraffiadau cyffredin, ond maen nhw'n aros yn y cof. Fel teimlo dy groen di am y tro cyntaf, neu rannau o groen nad oedden nhw'n *public domain* (a dwy' ddim yn meddwl am unrhyw rannau 'amheus', jyst y rhannau hynny nad oedd hi'n arferol i bobl gyffwrdd â nhw'n rheolaidd): gwaelod dy gefn, er enghraifft, y daeth fy mysedd i gyfarfod ag ef un noson yn yr haf, ar ddamwain bron, wrth i ni ffarwelio y tu allan i dŷ dy rieni; neu ben ucha dy fraich dde, y byddai fy llaw yn dod i wrthdrawiad ag ef wrth i mi roi fy mraich amdanat ar y ffordd 'nôl o'r sinema. (Fe allech chi ddweud bod 'ffwndro' yn gysyniad canolog yn fy nyddiau cynnar fel 'carwr', nes gwneud geiriau fel 'gwrthdrawiad' yn anochel, a'r broses ei hun mor gynnil a theimladwy â chyrch milwrol.) Ond y cyffwrdd, a meddwl bod y llyfnder hwn yn nefoedd. A doedd 'na ddim byd *ulterior* (er bod y bois, hyd yn oed bryd hynny, yn gofyn i mi'n rheolaidd a oeddwn i wedi bod 'yr holl ffordd'). Rwy' jyst yn cofio'r dedwyddwch yr oeddwn i'n ei deimlo ar yr adegau hyn, sydd yn beth ofnadwy o ddiflas i'w gofio fel manylyn diffiniadol eich deffroad rhywiol, mae'n debyg, ond dyna ni. (Ac ma' edrych yn ôl ar bethau yn fy mherswadio i fwyfwy, gyda llaw, mai bryd hynny oedd y cyfnod gorau i fod yn arddegwr. Neu'r cyfnod gorau i mi dyfu i fyny, beth bynnag. Fe lwyddais i i dreulio blynyddoedd maith ar hugain heb wybod beth oedd y 'Smotyn G', a dim ond digwydd gweld erthygl amdano mewn cylchgrawn mewn siop trin gwallt *unisex* wnes i bryd hynny. Nawr, mae hi fel tase merched tair ar ddeg yn cwyno am nad yw eu partneriaid yn gallu 'u 'trin nhw'n iawn', pan mai'r peth agosaf i orgasm yn fy mywyd tair ar ddeg oed i oedd ffilm dda, falle, neu dudalen lawn o sticeri pêl-droed Everton . . .)

Ond rwy' i'n teimlo pethau i'r byw, yn rhy sensitif o lawer, medde chi. Yn gwneud pob dim dibwys yn feicrocosm o fywyd yn ei gyfanrwydd. Ac mae'n siŵr fy mod i. Sydd yn drueni. Oherwydd fe ddylai sensitifrwydd olygu 'mod i'n gallu troi'r pethau bychain hyn yn destunau llawenydd mawr, gwellt yn aur, dŵr yn win. Ac fe allwn i wneud hyn hefyd; fe fyddwn i'r person hapusa yn y byd pe na bawn i'n rhy brysur o'r hanner yn edrych dros f'ysgwydd i weld y draen agored yn y stryd o'm blaen.

*   *   *

Fe fydd y darllenwyr craffaf yn eich plith chi wedi casglu erbyn hyn 'mod i'n hoff o'r sinema, ac yn hoff o ffilmiau gangster yn arbennig. A thra nad ydw i'n awdurdod ar y cyfrwng o bell ffordd, na hyd yn oed yn ddigon hyderus o fy ngwybodaeth i ddefnyddio'r term hunandybus ofnadwy hwnnw, *film buff*, amdanaf fy hun, eto, mi fydda i'n lico meddwl, fel ma' pawb mae'n siŵr, 'mod i'n nabod ffilm dda, a hyd yn oed yn gallu cydnabod bod ffilm yn dda hyd yn oed pan nad ydw i'n ei hoffi hi fy hunan. (Dyna i chi aeddfedrwydd, yntê?)

Yn nherminoleg yr Eisteddfod (ac on'd oedd 'na Steddfod yn Llundain rhywbryd?), rwy'n 'adnabod y bishyn'. Sydd yn golygu'n syml 'mod i'n ceisio meddwl am ffyrdd mwy ysgolheigaidd o ddweud bod hon a hon yn '****ing great'. (A rhegfeydd, wrth gwrs, yn ganlyniad i eirfa ddiffygiol . . .)

Rwy'n hoffi ffilmie gangster, y rhai da beth bynnag, am eu bod nhw mor llyfn, a'r plot wastad yn hollol ddiwnïad. A'r teuluoedd mawr hefyd, a 'dyletswydd' a 'balchder'. ('"Maen nhw'n f'atgoffa i o ddramâu clasurol y theatr Roegaidd," meddai ef yn wybodus.') Fe allwch chi wylio *Goodfellas*, er enghraifft, a'r diwedd yn enwedig, a phan 'ych chi'n gweld cyfanswm y cyrff yn dechrau cynyddu – y dyn yn y lorri gig, Samuel Jackson wedi'i wasgaru ar hyd ei 'stafell, y gwragedd yn dechrau cael eu curo a.y.b. – r'ych chi'n gwybod fod y dirywiad, o'r Oes Aur ar y cychwyn, wedi hen ddechrau. Ond ceisiwch chi olrhain dechreuadau'r dirywiad hwnnw ac fe gewch chi nad yw hi'n fater syml o ddweud, 'Wel, fe ddigwyddodd *x* a dyma *y* nawr yn digwydd o'i herwydd'. Mae'r cymeriadau'n rhy amhenodol rhywsut, a'r plot yn rhy gynnil o'r hanner i chi allu dweud hynny. A thra bod y waliau'n syrthio'n ddarnau o'i gwmpas, ma'r pethau lleiaf yn cythruddo Ray Liotta, Henry Hill druan, sy'n dal i fyw'n ddienw yn rhywle. Mae e'n cael *freak* am y pethau lleiaf, pan mai'r pethau pwysig, ei analluoedd ef ei hun yn fwy na dim, sydd i gyfri am bopeth. A'i wraig druan sy'n ei chael hi. Hi sy'n gorfod dioddef ei dymer wyllt a'r tantryms. Ac er 'mod i am bwysleisio nad ydw i wedi cyffwrdd pen bys mewn na menyw na dyn erioed, fel hyn yr oedd hi gyda fi, ni. Y blydi pethe bychain.

Ma'r cyfan yn deillio o'r un gwreiddyn â'r ffaith fy mod i'n apelio'n fawr at famau. Rwy'n sylfaenol neis. Neu mae pobl yn gweld 'mod i'n sylfaenol neis. Rwy'n addfwyn (ac nid rhestru rhinweddau ydw i nawr, na cheisio fy nelfrydu fy hun. Falle y dylwn i ddweud yn hytrach mai 'nodweddion' ar fy nghymeriad yw'r rhain, a gadael i chi benderfynu ai neis yw'r gair addas ai peidio. A pha un ai yw neis yn rhinwedd hyd yn oed. Dyw merched ddim bob amser yn credu hynny, rwy'n siŵr . . .), mae fy nhymer yn eithaf cyson, rwy'n annhebygol o ffrwydro'n belen danllyd o ddicter, rwy'n cael maddau'n beth cymharol hawdd. Rhy hawdd efallai. Hynny yw, dwy' ddim yn cyfateb i ddisgrifiad y cylchgronau o'r *'man's man'*. Rwy'n ddyn, ac mi oeddwn i'n fachgen, wel, iawn. Rwy'n medru cydymdeimlo â phobl ac â phethau. *General all round good guy*, fe ellid dweud. A dyna oedd y drwg, mae'n debyg; 'mod i ddim yn ddigon . . . neu'n rhy neis bob amser i adael i bethau fy ngwylltio. Neu'n rhy neis i ddangos fod pethau'n fy ngwylltio. Ceisio cadw pethau'n sefydlog. Pwy a ŵyr, tasen ni wedi bloeddio ar ein gilydd ambell waith . . . (Fe welais i gwpwl yn dadlau ar y stryd y tu allan i'r fflat unwaith, yn galw pob mathau o enwau ar ei gilydd, yn amau purdeb mamau'i gilydd, a dwy' ddim yn siŵr na wnaeth y dyn blygu 'mlaen a phenio'r ferch yn ei hwyneb, ond fe ddigwyddais i 'u gweld nhw eto ymhen rhyw wythnos ac roedden nhw fraich ym mraich fel tasen nhw'r cwpwl hapusaf erioed. Neges y stori? Dim clem.)

Ond r'ych chi'n gwybod sut ma' pethau'n digwydd. Fe allwch chi faddau rhai pethau'n iawn. Dysgu byw trwy bethau, anghofio hefyd ymhen tipyn, neu gloi'r

124

atgofion mewn cist neu rywbeth o leia. Ma' 'na bethau y dylech chi, y dylwn i fod yn teimlo'n chwerw iawn o'u herwydd nhw (ac os nad oes gwahaniaeth gyda chi, a' i ddim ar ôl yr union bethau hynny. Mae hi'n rhyfedd mai'r embaras mwya yw hwnnw sy'n deillio o'ch atgofion chi eich hunain. 'Fe ddwedes i/ wnes i'r pethau hyn. Alla i ddim credu!' Fe fedrwch chi ddyfalu mae'n siŵr) ond am ryw reswm maen nhw'n bethau, yn ddigwyddiadau *rhy* bwysig i'w trafod yn iawn. Fel petai siarad am bethau, neu wynebu rhyw wirionedd mawr a brawychus fel dinoethi hanfod eich dynoliaeth, fel stripo'r cig a gwaed oddi ar eich sgerbwd eich hun. Yn rhoi cip i chi ar rywbeth y byddai'n well 'da chi jyst beidio â'i weld. Fe ddaeth 'na bwynt fel yna gyda ni, on' do fe? Pwynt lle roedden ni'n byw fel rhywun, rhywrai wedi'u dedfrydu i farwolaeth – *borrowed time* yw'r ymadrodd. (Dyna oedd hyn i mi, beth bynnag. Alla i ddim dweud nad oeddet ti, mewn gwirionedd, yn ddigon balch fod pethau'n mynd fel yr oedden nhw.) Amser pan fyddai colli tymer, neu daflu llestri ar hyd y lle, wedi gwthio caead y bocs yn llydan agored, a gadael i'r dirywiad fynd *full pelt*.

Ac r'yn ni'n dod yn ôl felly at Henry Hill. A dyna pam fod y pethau bychain, y *niggles*, wedi'u dyrchafu i ran mor bwysig yn y Cyfrif Mawr. Dwy' ddim yn cofio i ni ddadlau fawr ddim am y pethau hynny y dylen ni fod wedi dadlau amdanyn nhw. A doedd 'na fyth beryg y byddwn i'n dweud wrtho ti am sodian off yn derfynol. Na dim byd hanner mor ddramatig â fi'n gyrru i ffwrdd, a rwber olwynion fy *cabriolet* yn llosgi, chwaith. Yr hyn gawson ni yn lle hynny oedd dadleuon pathetig: Pryd oedd y tro diwethaf aethon ni allan am ginio, neu *night out* iawn? Pam nad oeddwn i'n fwy parod i fyw'n fentrus nawr ac yn y man. Yfed lla'th mas o'r botel. Sychu traed cyn dod i'r tŷ. Ymddwyn fel cwpwl o ferched ysgol. Ond yr hyn oedd yn arwyddocaol ynglŷn â'r dadleuon hyn oedd eu bod nhw'n magu statws trosiadol. Doedden ni byth yn trafod dy resymau di dros fod yr ast hunanol yr oeddet ti'n gwneud *impression* da iawn ohoni ar brydiau, ond mi oedden ni'n dadlau am olchi'r llestri. Ac yn dadlau fel tase holl wenwyn degawdau o briodas ddiflas yn ymchwyddo y tu fewn i ni. Ro'n i (ac mae'n debyg y dylwn i roi'r gorau i siarad ar dy ran di, fel tase hon yn stori y mae'r ddau ohonom ni wedi'i thrafod a chwerthin amdani droeon ers hynny . . .) yn dadlau am boteli llaeth a llestri brwnt am mai dyna oedd yr unig gyfle oedd gen i i roi fy safbwynt i ar bethau. Os ydw i'n dwyn y pethau bychain i gof, ac yn gwneud hynny i raddau afrealistig neu obsesiynol, mae hynny oherwydd eu bod nhw yn eu tro *yn* feicrocosmau o ddadleuon a safbwyntiau llawer iawn mwy sylfaenol; dadleuon nad ydw i'n siŵr o hyd 'mod i am ymhêl â nhw.

Ond fe dorrodd cefn ein camel trosiadol ni un noson yn fy nhŷ i, yn ystod y cyfnod hwnnw tua canol mis Rhagfyr pan fyddech chi'n anghofio'n llwyr am y Nadolig oni bai fod y teledu'n eich atgoffa chi bob eiliad. Edrych ar y teledu oeddwn i bryd hynny hefyd, ar raglen goffa i John Lennon, a oedd wedi marw rhyw flwyddyn cyn hynny. Rwy'n cofio'r digwyddiad hwnnw'n iawn (ar y tŷ bach yr oeddwn i, fel mae'n digwydd), ond gyda'r Beatles, yn wahanol i'r ffilmie, nid y bobl eu hunain oedd sail fy edmygedd i ohonynt. (Tase Al Pacino wedi marw, pwy a ŵyr na fyddwn i

126

wedi llefain am wythnos gyfan.) A gyda John Lennon ro'n i wastad yn fwy hoff ohono fe pan oedd e gyda'r Beatles beth bynnag. Felly fe fyddai unrhyw alaru wedi bod ar lefel gerddorol; galaru am fod y cerddor wedi marw, nid y person. Ond am fod y Beatles wedi marw ers deng mlynedd a mwy erbyn hynny, ac felly hefyd y John Lennon yr oeddwn i'n ei hoffi, doeddwn i ddim yn *devastated*, fel yr oedd y ffans eraill, a gollodd fwy o ddagrau dros rywun na wnaethon nhw gwrdd ag ef erioed na thros eu mamau a'u hyncls a'u teuluoedd eu hunain, mae'n siŵr. (Heblaw am y rheiny sy'n dweud taw Lennon oedd 'the brother I never had'.) Ond doedd hynny ddim yn golygu 'mod i ddim am weld y rhaglen. Do'n i ddim yn ei wylio fe jyst achos bod e'n ddewis rhwng hwnna a Des O'Connor. Ro'dd diddordeb 'da fi ynddo fe. Ro'n i eisiau gweld yr hen *footage* eto, a beth bynnag, does 'na ddim byd cweit fel marwolaeth *high profile*. Mae e'n ddifyrrwch gwych; *it makes for good television*, on'd yw e? Felly doedd dim angen iddi siarad trwy bopeth, nag oedd? Fe alle hi fod wedi aros tan ar ôl i'r rhaglen orffen (doedd 'na ddim llawer ohoni ar ôl fel mae'n digwydd) neu ofyn a fyddai ots gen i droi'r teledu off am eiliad. A doedd ganddi ddim o werth i'w ddweud beth bynnag. *Ac* roedd hi'n gwybod yn iawn beth roedd hi'n ei wneud. Ond fe aeth hi yn ei blaen, nes cael yr union ymateb roedd hi wedi gobeithio'i gael. Roedd hi'n iawn wedyn. Yn gallu rhuthro allan yn gyfiawn ddigon gan ddweud 'mod *i* ddim yn becso dam a throi popeth wyneb i waered. Real ast. Ac yn sydyn ro'n i'n gandryll. Yn wirioneddol grac. Dyma hi, a oedd wedi gwneud yn ôl ei dymuniad hi'i hun drwy gydol yr amser, yn dweud nawr 'mod i'n hunanol, 'mod i'n meddwl am neb ond fi fy hun. Allwch chi gredu? Ac yn sydyn ro'n i eisiau dweud wrthi nad fi oedd wedi . . . wel, ie . . . a 'mod i wedi *rhoi* digon heb *gael* dim yn ôl (a does 'na ddim gwell diffiniad o *pathos* na sylweddoli bod eich profiadau mwyaf trawmatig yn dod dan y teitl 'Bittersweet romantic-comedy bollocks.') Ro'n i ar dân eisiau dangos iddi hi mor annheg yr oedd hi wedi 'nhrin i ers oesoedd, ac fe ddaeth yr un ddadl honno am raglen goffa John Lennon i gorffori'r holl ddicter cudd a fu'n ffrwtian dan yr wyneb. Fe waeddais i ar ei hôl hi, ond 'ches i ddim ateb. Dim ond y drws yn cau'n glep. (Dyna, mae'n debyg, oedd yr un foment fwyaf dramatig o'r cwbl. Dyw e ddim yn Hitchcock, mewn gwirionedd, nag yw?)

A dyna lle roeddwn i'n sefyll yn y lolfa, yn dal i edrych ar y drws, 'Imagine' yn dal i chwarae yn y cefndir. Ac yn yr eiliad honno roedd e'r peth mwya *annoying*. Mi drois i'n ffyrnig at y teledu fel tasen i'n mynd i roi fy nhroed trwy'r sgrin. Rwy'n credu mai dim ond y ffaith taw John Lennon oedd yn canu, a'r grym hanesyddol sydd gan yr enw hwnnw, wnaeth ei arbed e druan. Mae'n siŵr tase Cliff Richard wedi rhyddhau 'Mistletoe and Wine' y Nadolig hwnnw na fydde'r sgrin wedi bod cweit mor lwcus.

16. Y Deryn Dur

Gan nad oes 'na fawr o neb yn debygol o weld f'eisiau i
– fe aeth Dad 'nôl adre cyn i'r trên gyrraedd yr orsaf
hyd yn oed, a 'ngadael i ar fy mhen fy hun ar y
platffform, cystal â dweud 'mod i'n *big boy* nawr a bod
big boys ddim yn aros gyda'u dadis tan i'r trên gyrraedd
– does dim angen i mi deimlo unrhyw fath o dristwch
wrth adael y lle. Fe all Anti Mabel a'i chiwed fynd i
ganu. ('O, yr Ysgol Gân gynt ar nos Fowrth. O, *Band of
Hope* nos Fercher. Cwrdd chwiorydd nos Iau. A canu?
Clywch 'ma . . .') Oherwydd os oes yna le dethol i fi yn
y cwm, os ydw i'n rhan o'i anian, er byw ymhell ohono,
yn rhan o'i wead unigryw a chain, yna does 'na neb fel
tasen nhw'n awyddus iawn i arddel y berthynas. Hyd yn
oed fel mab afradlon rwy'n eitha di-nod. Dyma'r
eilwaith i mi sefyll ar y platffform hwn, mewn
amgylchiadau eithaf arwyddocaol, a dyma'r eilwaith
hefyd i mi deimlo 'mod i'n mynd, mewn gwirionedd, *i*
le dieithr ac anghysurus *o* le tebyg iawn. Ac os
rhywbeth ma' anghysur y cwm yn waeth, gan ei bod hi
mor fach yno. O leia yn Llundain y *logistics* sy'n
anghysurus. Yn y cwm, y lle'n gyfan yw e; y bobl, y tai
a'r strydoedd, y glaw, y ffordd y mae'r draeniau'n
gorlifo dan unrhyw fath o bwysedd atmosfferig, yr hen
geir *Princess*. Drab a hollol ddiflas.

*   *   *

Ond mae'n rhaid wrth drefn. Mae'n rhaid wrth
gymesuredd. Trefn. Ystyr. Arwyddocâd. Cymhendod.

Dyma ffylcrymau'n bod (yn ôl y rheiny sy'n gwybod, beth bynnag. 'Y cyntaf i'r felin gaiff falu.' Cachu.). A dyna pam 'y mod i'n sylwi ar bob awyren yn yr awyr, ar y ffordd 'nôl i Lundain yn y trên. Ma' trefn a chymhendod yn gofyn 'mod i'n gwneud. Dyna wnes i yr holl flynyddoedd hynny yn ôl, a dyma fi'n gwneud eto (a hynny'n cyflawni yn y broses y delfryd arbennig o ffilmig hwnnw, 'undod'). A gan fod y rhod wedi parhau i droi yn yr amser ers hynny, a gan ei bod hi'n prysur gyrraedd *full circle*, dyw hi ond yn iawn 'mod i'n gwneud hynny. R'ych chi'n gallu dychmygu'r *dissolve* o'r olygfa gyntaf, drwy'r *montage* ugain eiliad o bymtheg mlynedd, hyd y presennol; fi, ar drên, yn edrych yn freuddwydiol i'r awyr.

Ond nid ffawd bennodd ein bod ni'n teithio i Lundain ar yr un diwrnod. Fi wnaeth hynny. Fi a'r syniadau mawreddog oedd gen i am ystyr, ac ystyr eironig, trasig hyd yn oed. Y fi a'i cynlluniodd hi felly. Fel 'y mod i'n gallu fy moddi fy hun yn hunandosturi'r cyd-ddigwyddiad trasi-comig. Chwarae ar deimladau'r gynulleidfa, eich teimladau chi. Ac roedd yn rhaid dangos y cyferbyniad; roedd yn rhaid iddo fod yn ddigon eglur. Ti'n mynd i un cyfeiriad a fi i un arall. Ond 'y mod i, trwy ryw ysfa fasocistaidd, fel petawn i'n dod i'r awyrenfa hefyd, i chwifio. A sefyll yno'n gwylio wrth i ti fynd drwy *customs* yn gynta, ac yna i'r awyren, a chodi llaw wrth i'r awyren deithio ar hyd y lanfa, ac wrth iddo gyflymu, a chwifio nes bod yr olwynion wedi gadael y ddaear a'r awyren wedi diflannu ymhell dros y gorwel, a 'mraich i ar fin cwympo off. Chwifio nes 'mod i eisiau aros yno i chwifio am byth. ('Chwifio nes isho taflyd i fyny', hyd yn oed.) A hyd yn oed tase'r cwm wedi bod yno i ffarwelio'n emosiynol â fi, bryd hynny neu heddiw, byddai'r chwifio, a'r angen i chwifio ac i orffen y bennod gythryblus arbennig honno mewn ffordd ystyrlon, wedi gorbwyso unrhyw deimladau hiraethus.

Ac ers hynny dwy' ddim wedi gallu edrych ar awyren heb ei dilyn hi ar ei hynt, i ble bynnag yr aiff hi. Fel tase hi'n ddrudwy Branwen i mi, yn cario sanctaidd epistol, neu epistol beth bynnag, fy mhoen i. Mor ffug-ddramatig. Mor arwyddocaol, mor dwt a chwerw-felys a barddonllyd. Ond does gen i ddim syniad sut epistol yw f'un i chwaith. Falle 'mod i'n hoffi'r *syniad* yn unig, y trosiad, neu'r ddelwedd, a chael, o gyfarch fy llatai i, nad oes gen i neges wedi'r cyfan.

*   *   *

Mae 'na bum munud nes i'r trên adael. Rwy'n teimlo fel plentyn bach wrth i mi edrych drwy'r ffenest, a syllu ar bostyn, neu arwydd ar wal yr orsaf y tu fas i'r ffenest, ac aros am arwydd fod y trên am symud. R'ych chi'n cofio sut oedd hi: aros am hydoedd i'r trên gychwyn ac eisiau sylwi ar yr union eiliad y dechreuodd y symud, cyn sylweddoli ymhen pum munud eich bod chi wedi bod yn araf lusgo heibio'r posteri ar y wal tu allan am eiliadau cyfain. A dyna fel mae hi y bore 'ma. R'yn ni wedi gadael King's Cross bron cyn i mi sylwi fod y dynion nefi yn eu siwtiau a'u *mobile phones* wedi peidio, a'r haul yn disgleirio eto, ar ôl tywyllwch yr orsaf. Ma' 'meddwl i'n bell, mae'n rhaid.

A chyn hir mae hi'n fflatiau a phencadlysoedd a ffatrïoedd ac ambell gae fan hyn a fan draw, a'r gwyrddni'n taro fel gwynt main ar fore oer. Ac ymhobman ma' 'na bobl yn mynd o gwmpas eu pethau'n ddyfal, a chadeiryddion yn eu swyddfeydd crand a'u cadeiriau meddal yn cwyno fod y gweithlu'n ddiog, a *PRs* yn dyfeisio sloganau hybu-gwaith, a chwmnïau yswiriant, a *spreadsheets*, a chyfrifiaduron a llengoedd dirifedi mewn adeiladau gwydr, uchel, yn prysuro'n ddiwyd o ffôn i ffôn, a phobl bwysig a'u gwaith pwysig, a fi'n eistedd mewn trên, ar ddiwrnod gwaith, ar fy ffordd i'r Amerig bell. Ac mae hi'n heulwen braf, a'r trên yn prysuro 'mlaen heb ystyried unrhyw un o'r pethau hyn, a fi'n cael pyliau didosturi o weld popeth drwy lens frwnt realaeth. Rwy'n hollol dwp (nid yn *silly* neu'n 'wirion', ond yn dwp. *Stupid*). Mae'r holl beth yn anhygoel. Alla i ddim hyd yn oed credu 'mod i'n gwneud y fath beth. Mae hi'n bownd o . . . wel, wna i ddim hyd yn oed ceisio dychmygu sut y bydd hi. Wna i ddim ei gweld hi. Ydw i hyd yn oed yn bwriadu'i gweld hi? Lle uffernol o fawr. Sut ydw i'n mynd i fyw ar ôl dod nôl? Pwy fydd am gyflogi rhywun fel fi? Pam? Beth ydw i'n gobeithio'i gyflawni? Beth os nad eith pethau yn ôl y disgwyl? Beth ydw i'n ei ddisgwyl? Oes 'na unrhyw debygolrwydd mathemategol yr eith pethau yn ôl y disgwyl hyd yn oed os galla i fod yn sicr beth i'w ddisgwyl? Pam nad es i'n athro ar ôl gadael yr ysgol? Ac yn y blaen ac yn y blaen nes 'mod i ar fin tynnu'r bag o'r gist uwch fy mhen a neidio o'r trên, a mynd i'r dafarn agosa i yfed gyda'r *winos* a chwyno bod y byd wedi cachu arna i erioed. Ac fe fyddwn i'n teimlo'n well wedyn, ac yn aros yn y dafarn drwy'r dydd a thrwy'r nos, a chysgu yno a dechrau eto'r bore wedyn, ac yfed i anghofio'r pen tost. Ond o leia bydde hwnna'n ben tost o'm gwneuthuriad fy hun . . .

Ond mae'r trên yn dal i rygnu 'mlaen. (Sori. Rwy' *yn* gwybod be wna i ar ôl dod 'nôl. Fe drefna i ddeiseb a'i danfon i'r BBC yn cynnig ein bod ni'n gwahardd trosiadau trenaidd o bob llyfr, rhaglen deledu a ffilm am o leia hanner can mlynedd.) Ac rwy' i'n dal i rygnu 'mlaen hefyd. A does gen i ddim digon o gỳts nawr i fynd 'mlaen â phethau'n iawn, na digon o gỳts i gamu oddi ar y trên a gadael y fenter yn y fan a'r lle. (Mae hynny'n sicr; does gen i ddim digon o gỳts i beidio, ac mae'r pymtheg mlynedd diwethaf yn brawf o hynny. Ond ai ymbarél gyfleus yn unig yw'r daith hon? Bwch dihangol arall? Alla i ddweud a'm llaw ar fy nghalon fod yna bwrpas gwirioneddol a realistig i hyn i gyd? Na fedraf. Alla i ddim. Ond wedyn mae hi'n ddewis rhwng hynny a Bruce Forsyth *ad infinitum*.) Ac ma' cael golwg iawn ar y ddinas – hynny yw, d'ych chi ddim yn ei gweld hi pan 'ych chi'n byw yno. Jyst yn cerdded rownd yn ei chysgod heb feiddio edrych i fyny – ma' camu nôl a gweld y . . . mès anferthol hwn, y pentyrrau di-ben-draw o *debris*, yn fraw i mi, yn sydyn. Mae e'n f'atgoffa i o un o raglenni David Attenborough. Ac ma' pawb yn sgrabyn yn y baw am ddarn o'r carcas iddo fe'i hun. Pawb yn . . . ych. *Horrible*. Ma'r ddelwedd yn f'atgoffa i o ddau beth. 1: Pam ei bod hi mor bwysig i mi ddianc rhag y bywyd hwn a, 2: Nad y daith rydw i arni yw'r ddihangfa honno. Fel hyn, gwaeth siŵr o fod, y mae hi yr ochr arall i Fôr Iwerydd. Fel hyn y mae hi ym mhobman.

*　　　　*　　　　*

Ac mae'n wir dy fod ti wedi bod ar fy meddwl i bob dydd ers hynny. Wedi bod yn y cefndir ymhob llun o bob profiad, fel rhyw fath o ysbryd, *presence*, ymhob dim. Fel y cysgod rhyfedd hwnnw yn y llun enwog o gar, a gwraig yn eistedd yn y sedd gefn yn gwenu, heb wybod fod 'na rym tywyll yn rhannu'i sedd hi. Ond rwy' i *yn* gwybod dy fod ti yno, a falle bod y gymhariaeth yn un od braidd. Ond falle ddim chwaith. Oherwydd fe fydda i'n meddwl weithiau y byddai pethau wedi bod gymaint yn haws tase ti *wedi* marw. A dwy' ddim yn dymuno gweld dy farwolaeth di nac yn teimlo mor grac nes 'mod i am dy ladd di na dim byd ('I'm gonna shoot ma' woman . . .'), jyst yn cofio dychmygu, ar adegau, pa mor wahanol y byddai pethau wedi bod taset ti wedi marw go-iawn, ac nid jyst wedi bygro off i rywle pell a rhoi'r *argraff* i bawb dy fod ti wedi marw. Rwy'n cofio dychmygu, hyd yn oed pan oedd pethau'n dal yn iawn (yn *iawn*, *Goddammit*!), sut y byddwn i'n ymateb. Ro'n i'n gallu gweld y cwbl: yr arch, y blodau, fi yn sefyll gyda'r gynulleidfa yn rhes flaen y capel ond yn methu canu gan deimlad . . . dy fam wedi cael siwt newydd. A fi'n ganolbwynt yr holl beth. A byddai'r plant hyd yn oed, y bois yn chwarae pêl-droed ar y stryd, yn 'y ngweld i wedyn, rai wythnosau ar ôl popeth, bydden nhw'n stopio'u gêm, cystal â dweud 'Dyna lun o ddyn trist'. Byddwn i'n cerdded tipyn, yn pwyso'n fyfyrgar yn erbyn gatiau yn y wlad a hyd yn oed yn dechrau smocio, falle'n datblygu tueddiadau alcoholig hefyd. Ac o dipyn i beth fe fyddwn i'n fy lladd fy hun. Nid yn fwriadol, ond yn raddol bach. Wisgi bach fan hyn a fan draw, a'r cwm i gyd yn uno i ddweud ei fod e ar ei ffordd i'r nefoedd i'w briodas dragwyddol.

Ac wedyn dyna'r syniad, hollol *reactionary* wrth gwrs, y gwnewch chi ladd eich hun, jyst i'w sbeitio hi. Tric dan din, ie, a byth yn opsiwn realistig – dim digon o gŷts, eto – ond ffordd dda i'ch cysuro'ch hun. Gwneud iddyn nhw ddioddef. Dychmygu'r *aftermath*: y teulu wedi'i ddinistrio, y gymdeithas wedi'i chwalu gan farwolaeth un mor ifanc, bywyd yn gyfan o'i flaen, un a chanddo ddyfodol disglair (er bod yr holl *clichés* yna sy'n bownd o ddigwydd yn eich angladd yn rheswm gyda'r gorau i sicrhau eich bod chi'n aros yn fyw tan Ddydd y Farn Fawr), a'r euogrwydd. Y teimlad nad yw'n gadael byth eich bod chi, dy fod ti yn dy ffordd unigryw dy hun, ac oherwydd dy ffyrdd unigryw dy hun, wedi peri marw dyn a dynoliaeth (gan 'y mod i'n rhan *mor* allweddol o'r ddynoliaeth honno, ac unrhyw farwolaeth oddi mewn iddi yn ei thanseilio hi'n anadferadwy). A phawb yn gytûn nad 'yn nhw'n gwybod sut y galli di gysgu'r nos ar ôl gwneud beth wnest ti . . .

Ond taset *ti* wedi marw, jyst cyn diwedd y bennod ddiwethaf, neu flwyddyn cyn hynny hyd yn oed, mi fydde popeth wedi bod yn wahanol. Mae'n bosib y byddwn i wedi mynd i Lundain o hyd. Mae hynny'n ddigon tebygol. Ond byddai 'na wahaniaeth. Fyddwn i ddim yn gorfod teimlo cywilydd wrth gydnabod dy fod ti'n dal i lywio fy mywyd, hyd yn oed ar ôl i ti 'ngadael i, a gadael popeth. Ac mi fyddai'r ysgaru'n gyfiawn hefyd, ac byddwn i'n gallu teimlo fod yr atgofion sydd gen i ohonot ti yn perthyn i fi ac i fi yn unig. Mae marwolaeth yn gwneud popeth yn goncrit. Yn gosod popeth allan yn derfynol. A bydde fe wedi golygu na fydde'n rhaid i ni ddioddef rigmarôl y daearol. Fydde

135

'na ddim dadlau na chweryla na diffinio na thrafod, dim ond ein hanian gyfun ni wedi'i serio yn y mynyddoedd mawr a'r moroedd, ac yn y pridd, ac yng nghof yr oesoedd. A fydde dim rhaid i fi wneud unrhyw beth heblaw byw fy mywyd er coffadwriaeth i ti. A byddai hynny'n hawdd. Yn nobl, ie, ac yn sobor a difrifol, ond yn hawdd.

A bydde 'na un olygfa ddirdynnol, dyngedfennol. Un olygfa olaf, fel honno yn *One Flew Over the Cuckoo's Nest* pan 'ych chi ddim yn gwybod a ddylech chi chwerthin neu grio, gwenu'n dwp neu roi'ch pen yn eich plu a pheidio â'i dynnu o'na byth. Byddet ti yno, yn gorwedd ar y soffa, wedi gadael dy wely i geisio dianc rhag gwynt goresgynnol dy salwch, a byddet ti'n galw amdana i mewn llais bychan, gwan. Yn erfyn amdana i. A byddwn i'n dod ata ti, ac yn dy ddal di yn 'y mreichiau un tro olaf, a'r ddau ohonon ni'n gwybod, ac yn edrych i lygaid ein gilydd ac yn gwybod. Ac aros fel 'na am oriau wedyn, nes i'r nos ddod, a'r ddau ohonon ni'n pendwmpian yn achlysurol, cyn deffro'n sydyn i edrych ar y llall. A dim geiriau, dim siarad, jyst teimlo. Ac addo addewidion drud ac ochneidio'n dawel, nes syrthio i gysgu gyda'n gilydd a deffro'n oer ac yn unig . . .

17. Cymylau

A thrwy gydol yr aros a'r crwydro, y cyfnod yn y *no man's land* sy rhwng y lle dangos pasport a'r awyren, rwy'n dychmygu sut oeddet ti, pan ddest ti yma. Rwy'n cerdded rownd y siopau *duty free*, yn codi cylchgrawn neu lyfr, yn edrych ar bersawr neu oriawr, neu jyst yn edrych yn y ffenestri ar yr holl *consumer durables*, sydd yn ddrud hyd yn oed wedi'r *miracle reductions*, ac yn meddwl amdanat ti'n gwneud yr union bethau hyn: yn codi'r un papurau, neu'n edrych ar yr un dillad yn yr un siopau drud. Ond fod popeth yn wahanol i ti. Popeth ar fin bod yn *non-transferable*. Dim *refunds*, dim blwyddyn brawf neu chwe mis o warant. Dim ond bywyd newydd wedi'i brynu oddi ar stondin yn y farchnad leol, heb na sicrwydd na *get-out clause* ar ei gyfyl.

*　　　*　　　*

Ac mae'r awyren, pan ddaw'r alwad o'r diwedd, yn rhyddhad mawr. Rhywbeth penodol i'w wneud. Tocynnau i'w dangos, *passes* i'w casglu, stiwardesau i'w cyfarch. 'Hi there. Welcome aboard', a blas cyntaf o America. Rwy' wedi hedfan unwaith o'r blaen. I Sbaen. Canol yr wythdegau, pan oedd gen i ryw gymaint o arian. Wythnos yn Mallorca, *cancellation*. Gogledd yr ynys, neu'r dwyrain, beth bynnag, rhag i chi feddwl 'mod i wedi prynu crys-T Jac yr Undeb a cherdded

rownd y lle gyda chan o lager yn un llaw a phecyn 48 o
condoms yn y llall. (Er y byddai hynny, mae'n debyg,
wedi darlunio fy nghwymp yn berffaith. 'And so I am
reduced to this . . .') Ar 'y mhen yn hun yr oeddwn i, ac
fe dreuliais i wythnos gyfan yn cerdded rownd y lle, yn
eistedd mewn caffis bach gwledig, i ffwrdd o lan y môr,
a heb wneud cymaint â thynnu fy nghrys unwaith.
Roedd e'n iawn. Yn braf. Ond dwy' ddim wedi bod yn
America o'r blaen. (Na hyd yn oed y tu allan i Brydain,
fe allech chi ddweud.) Fe brynes i lyfr at y daith –
Brave New World. (Ie, ie. Ond o'n i'n meddwl pe
bydden i'n llwytho'r daith ag ystyr, yn ei heipio hi
ddigon, y byddai hynny'n bownd o sicrhau rhywfaint o
karma da i mi. Fel chwaraeon Americanaidd: os
dwedwch chi wrth gynulleidfa fod rhywbeth yn
gyffrous am ddigon o amser, erbyn y diwedd fe fyddan
nhw'n gweiddi ac yn sgrechian fel ffyliaid.) Ond go
brin y gwna i 'i ddarllen e hyd yn oed. Mae'n siŵr y
dechreua i e a'i roi ar y naill ochr cyn diwedd y dudalen
gynta. Ma' llyfre'n gwneud hynny i fi. Rwy' wastad
eisiau gwybod pam fod pobl yn dweud fod yn *rhaid* i
chi ddarllen hwn a hwn, ond heb fod eisiau mynd ati i
ddarllen y llyfre 'u hunain.

Ac wedyn erbyn i mi dynnu 'nghot a'i rhoi hi uwch
fy mhen, a gosod y llyfr ar y ford sy'n plygu ar hyd fy
mhenliniau, trefnu'r swîts sy gen i at y daith mewn
patrymau symetraidd, pert, ma'r awyren yn symud, a fi
heb gael cyfle i feddwl o gwbl am siarcs a nofio, a ffŵl
Ebrill ac ishe cerdded ar y cymylau. Ac r'yn ni'n
hedfan. Yn gadael y ddinas fawr ar ôl ac yn dilyn
coridor yr M4 tua'r Gorllewin. Ymhen dwy funud alla i
ddim penderfynu lle 'yn ni. Fe allen ni fod yn hedfan

uwchben Reading, neu dde Cymru, y cwm hyd yn oed, neu Cork. Ac mae'r awyren yn mynnu nad oes 'na droi 'nôl i fod nawr, hyd yn oed os oedd hynny'n ddymuniad gen i cyn hyn.

Ac ma' pobl yn bethau rhyfedd. Fe allwch chi eistedd ar eu pwys nhw am oriau, fe allwch chi rannu profiadau bywyd â nhw – fe allai'r awyren hon, er enghraifft, blymio i'r môr a ni'n gorfod nofio gyda'n gilydd ac arbed bywydau'n gilydd – a fyddwn i ddim yn gwybod mwy am y dyn sy'n eistedd y drws nesa i mi nawr na phetai e heb fodoli erioed. R'yn ni'n mynd i deithio hanner y ffordd ar draws y byd gyda'n gilydd, a'r unig eiriau fydd rhyngom ni fydd rhyw 'Shw' mae' bach swta, neu wên nerfus sydyn wrth i'r awyren ein hysgwyd yn ddirybudd. Mae e'n edrych rhyw ddeng mlynedd yn hŷn na fi. Falle 'i fod e'n bum deg. Ac fe ddylai'r daith hon fod yn real antur i'r ddau ohonom ni. Oherwydd dyw hedfan, i fi beth bynnag, ddim yn rhywbeth *boring*, bob dydd, fel y mae e' i blant y genhedlaeth sy'n iau na fi. Iddyn nhw mae e'n beth trwsgwl ac araf. Tamaid i aros pryd, nes iddyn nhw gael eu *telezappers* eu hunain. Ond fe ddylai'r peth fod yn *expedition* i ni, fel taith Scott i'r Antarctig neu hyd yn oed fel mynd i'r lleuad. Ein cenhedlaeth ni oedd y gynta i gael y cyfle i deithio'r byd yn weddol o rwydd. Rwy'n cofio clywed am y *Concorde* cyntaf pan o'n i'n ifanc, a meddwl pa mor ffantastig oedd hynny. Pobl yn gallu mynd yn gyflymach na sŵn! A trio dychmygu wedyn *sut* yn union roedd sŵn *actually* yn teithio. A chyn hynny roedd teithio byd yn rhywbeth na fyddai ond y ffôl neu'r dewr yn ei wneud. Treulio misoedd ar long fyddai cyrraedd America cyn hyn ond dyma ni nawr yn mynd i fod yno mewn naw awr. Fe ddylai'r ddau ohonon ni fod yn trafod aruthredd y datblygiadau sydd wedi digwydd, a'r rheiny yn ystod ein hoes ni, fel ein bod ni'n gallu sôn yn awr am feddylfryd byd-eang, a nabod rhywun yn Chicago'n well nag yr 'yn ni'n nabod ein teuluoedd ein hunain, er enghraifft. Mae e'n anhygoel. Ond yr unig sgwrs sydd rhyngom ni yw honno pan ma'n rhaid i fi 'i basio fe i gyrraedd y toilet.

A phan ddaw'r stiwardés o amgylch i gynnig diodydd i ni, rwy'n llusgo fy llygaid oddi ar y cymylau tu fas i'r ffenest, y cymylau sydd wedi cuddio Môr Iwerydd yn gyfan gwbl ers i ni adael tir *Good Old Blighty*, ac yn edrych i'w llygaid hi gan ddychmygu mai ti ydw i. Ai dyna wnest ti? Edrych yn ddwfn i lygaid y stiwardés? Gofyn iddi, erfyn arni am gysur, sicrwydd, unrhyw arwydd dy fod ti'n gwneud yn iawn? Neu edrych arni fel y mae carcharor yn edrych ar ymwelydd, a gweddïo y gwneith hi dy helpu di? Fe alla i ddychmygu'r stiwardés yn gweld yr olwg betrus ar dy wyneb ac yn dweud wrtho' ti'n garedig am beidio poeni, a'i cholur hi'n sgleinio yn haul y stratosffêr, na fyddwn ni chwinciad yn cyrraedd, a pham na gewch chi frandi bach i'ch helpu chi i ymlacio? Jyst diferyn bach i chi ga'l cysgu. 'Na fe. Ond na. Fe fyddet ti wedi cael brandi bach i ddathlu, mae'n siŵr. Diferyn i gynnal dy hwyliau da di dros yr oriau nesa. Diferyn bach i ti gael aros ar ben y byd hyd yn oed wedi i chi gyrraedd y ddaear eto. A fi lawn 3,000, tair mil, deg ar hugain o gannoedd, o filltiroedd i ffwrdd. Os oeddwn i yno yn dy feddyliau di o gwbl. Ac mae'n amheus gen i a oeddwn i. Pam ddylwn i fod? Pam ddylwn i fod yno nawr? Hyd yn oed taset ti'n gwybod 'mod i ar fy ffordd i America yr eiliad hon, pam ddylet ti boeni? Pam ddylet ti chwysu, neu deimlo dy fochau'n gwrido, neu glywed dy galon yn curo'n uwch? *Does* 'na ddim rheswm. Dim rheswm posib o gwbl.

*   *   *

A gan 'y mod i wedi teimlo'r angen trwy bopeth, ers dyddiau ysgol, i geisio cyfiawnhau popeth, cystal i fi wneud hynny eto. Neu geisio gwneud hynny eto, o leia. Oherwydd y peth rhyfedd am gyfiawnhau ac esbonio yw hyn: po fwya y ceisiwch chi roi pethau'n dwt ac yn daclus, trefnu pethau – meddyliau, teimladau, ystyron a.y.b. – po fwya y ceisiwch chi ddatod y clymau yn eich meddwl, mwya oll y mae'r clymau'n mynd yn ddrysi a'r holl beth yn berth ddrain. Tipyn o *bummer* yn wir. Ond mae e *yn* wir. Ac rwy' i wedi bod yn ymarfer y grefft o ddryswch ers blynyddoedd. Fe ddylwn i fod yn feistr nawr ar esboniadau. Rwy' wedi dweud celwydd rif y gwlith, wedi creu straeon, dychmygu sefyllfaoedd, a hyn i gyd yn enw gwneud pethau'n haws; yn y gobaith y bydd yr holl edeifion yn uno yn y pen draw i greu un llinyn hir a chryf a . . . wel, neis. Ond dwy' ddim rhyw lawer yn nes ati o gwbl. (Fe ddylwn i fod wedi aros gyda'r cerrig. R'ych chi'n gwybod 'le 'ych chi gyda'r hen *millstone grit*.)

Y peth cyntaf i'w ddweud yw nad ydw i'n disgwyl croeso brwd. Dwy' ddim yn rhag-weld y bydd yna freichiau agored, pesgi'r mochyn gorau na thaenu carped coch. Hynny yw, dwy' ddim yn disgwyl croeso o gwbl. Mae'n siŵr na fydd hi'n 'y nghofio i hyd yn oed, a dyna lle bydda i yn sefyll ar stepen ei drws hi'n wên o glust i glust yn gweiddi 'Syrprei-eis' a hi'n dweud yn ei Hamericaneg orau, 'Jeez. Ah'm sarry. We don't need no carrpets right now'. (Wrth gwrs, y mae hynny'n opsiwn arall. Fe allwn i wisgo i fyny fel *travelling salesman*. Cwestiwn: Oes ganddyn nhw'r fath bethau yn America nawr, â thelesiopa'n beth mor rhwydd a diffwdan? Oes rhaid iddyn nhw adael eu tai o gwbl?), barnu sut hwyl sydd arni – ydy hi'n hapus, trist, digalon, hiraethu am y dyddie da, eisiau bywyd arall – cyn diosg fy ngwisg a dweud 'Haia'.) A'r unig beth sy'n ffaith ddiymwad ynglŷn â'r daith hon yw nad yw hi'n fy nisgwyl i mwy nag y mae hi'n disgwyl newyddion drwg am gyflwr y ci druan. Dyw hi ddim wedi meddwl amdana i unwaith ers gadael. (Ac mae'n rhaid meddwl am y senario dduaf bob tro. Mae gen i obeithion, oes, a'r rheiny sy'n symbylu'r daith hon yn ei chyfanrwydd, ond os digwydd i mi oedi gormod uwch fy ngobeithion, mae 'na beryg y daw rhywrai i wybod amdanynt – duwiau a grymoedd a phwerau sarcastig ac ati . . .) Felly, dwy' ddim yn disgwyl croeso brwd, gan obeithio hefyd y bydd dweud hynny'n cychwyn rhyw system gymhleth o *double bluffs*. Ond wedyn, allwch chi ddibynnu ar y *double bluff* os yw'r dacteg honno'n fwriad gennych chi o'r cychwyn? All y rhesymeg honno ddim gweithio'n ddi-ffael neu byddai gobaith – fel cysyniad cadarnhaol, haniaethol – yn ddi-werth, a phobl yn cerdded rownd heb ddymuno dim byd, gan obeithio ar yr un pryd y bydd y ffaith honno'n ildio iddyn nhw yr hyn y maen nhw 'i eisiau mewn gwirionedd, ond eu bod nhw ofn cyfaddef hynny, rhag peryglu'r *double bluff*. (Roedd yr Hen Roegwyr, fe ddigwyddais i ddarllen yn rhywle gyda llaw, yn credu nad oedd gobaith yn beth llesol o gwbl. Ei fod yn annog rhyw weledigaeth gwbl afrealistig a di-sail, a'i fod yn bownd o wneud unrhyw gwymp yn waeth. Ac r'ych chi'n gwybod yn iawn nawr beth ydw i'n ei feddwl pan fyddai'n sôn am ddrysi a pherthi drain. Ond o leia d'ych chi ddim yn gorfod dioddef 'y mhen i bob dydd . . .)

Ond y cyfiawnhau, a'r croeso. Iawn. Ddim yn disgwyl croeso. Pwynt nesa? Ie. A dwy' ddim yn disgwyl rhyw addewidion mawr chwaith, na dagrau na chyfaddefiadau na ddylai hi fod wedi gwneud peth mor dwp erioed, na dim byd fel 'na. Na. Wrth gwrs, fe fyddai hi'n *neis* tase hynny'n digwydd: 'Y . . . ie . . . o'n i wedi meddwl dy ffono di hefyd, Daf. Ti'n gwbod yr holl flynyddodd 'ny yn ôl, pan wedes i bo' fi byth ishe dy weld ti eto? Wyt? Reit. Achos, wel, o'n i ddim yn 'i feddwl e twel. Jocan. Gyda ti 'wy 'di ishe bod ar hyd yr amser. Na sili ife?' Ond dwy' ddim yn credu y digwyddith hyn (ac rwy'n dechrau amau fod gan yr Hen Roegwyr bwynt wedi'r cyfan . . .). Felly dwy' ddim yn disgwyl croeso nac yn disgwyl addewidion mawreddog na chyfaddefiadau ysgytwol. Beth ydw i'n ei ddisgwyl, felly? Beth? Cwestiwn anodd, a chwestiwn y byddai'n well gen i beidio gorfod ei ateb.

A dyw hi ddim yn fater syml o gariad (ac ai dyna'r tro cynta i mi ddweud y gair hwnnw yn ystod fy stori'n gyfan? Rwy'n credu taw e. Ac os felly dyna fesur o faint fy mharanoia . . .) er bod hynny'n rhan o'r peth. Fe oeddwn i, rwy'n dal i fod, yn *keen* iawn ar y ferch (– merch? 'Mae hi'n ddigon hen . . .'), ond dwy' ddim yn siŵr mai cariad yw'r gair iawn am y peth erbyn hyn. Mae hi'n bymtheg mlynedd, er mwyn dyn. Obsesiwn falle? Niwrosis? A does dim dwywaith fod y gair 'cariad' yn cynnwys elfennau lu eraill nawr. Rwy'n tynnu am fy mhedwar deg. Rwy'n siarad fel tasen i eisiau bod yn adroddwr mewn rhyw *proto* ffilm cŵl Cymraeg. (Hynny yw, rwy' eisiau bod yn cŵl. Rwy'n edrych ar y ffilmie y mae'r *kids* yn eu gwylio nawr.) Rwy'n ganol oed, fwy neu lai, ac os nad yn ganol oed o ran fy oedran neu f'ymddangosiad, yna rwy'n sicr yn ganol oed fy ffyrdd. Rwy'n dechrau *teimlo'n* hen. Ac nid jyst yn hen 'O ma' 'ngwallt i'n britho. Dim sbel i fynd nawr!', a phopeth yn jôc i'w rannu â ffrindiau dosbarth canol dros bryd da a photel o win drud dan olau cannwyll. Rwy'n dechrau teimlo'n *hen*. Henaint. Ac unigrwydd, a'r ddau'n chwerthin yn gras heb boeni dim 'mod i heb wneud unrhyw un o'r pethau ro'n i wedi bwriadu'u gwneud. (Beth oeddwn i'n bwriadu'i wneud? Priodi? Cael plant? Rwy'n swnio fel model neu rywbeth: 'You know, one day, when I'm fat and past it, I'd like to settle down, have kids. All those nice things.') Ac nid jyst hyn. Ro'n i am heneiddio'n osgeiddig. Bod yn hapus. Cellwair â 'ngwraig rhyw brynhawn dydd Sul, a'r plant allan yn chwarae neu yn y coleg neu rywbeth. Gweiddi'n chwareus, 'Roberts', neu pa enw bynnag. Oherwydd doeddet ti byth yn hollol ganolog yn y Cynllun Mawr. Roeddet ti'n bwysig oherwydd dy fod ti'n fodd i gyrraedd llawer o'r pethau yr oeddwn i'n credu 'i bod hi'n werth ymgyrraedd tuag atynt. Arian a.y.b. Byw bywyd, yn lle 'i ddioddef e. Ac er 'mod i'n dweud hyn, eto, ti yw'r ffigwr canolog. Oherwydd dy fod ti'n dal i gynrychioli'r pethau hyn, y pethau yr ydw i, er gwell neu er gwaeth, yn tadogi 'hapusrwydd' arnyn nhw. Ond dy fod ti erbyn hyn yn fwy na jyst delfryd. Rwyt ti'n fraw. Dwy' ddim yn dy nabod di nawr ond rwy'n dal i fy niffinio fy hun yn dy ôl di. Rwy'n byw yn dy gysgod di, a bron nad yw'r peth fel addoli seren ffilm o bell. All e ddim â bod yn gyflwr iach. Mae'n rhaid 'mod i'n colli'n raddol. Ond dyna sy waetha. Dwy' ddim yn gwybod sut y byddwn i taset ti ddim yno yn y cefndir. A pha un ydw i'n meddwl y gwnaiff y trip hwn sorto popeth, dwy' ddim yn gwbod. Ydy e'n mynd i fwrw allan fy nghythreuliaid i neu'u lluosogi? Dwy' ddim yn gwbod. Dwy' ddim yn gwbod llawer o ddim byd, pan ddaw hi'n fater o eistedd i lawr a gwneud cyfrif iawn o bethau. Ac rwy'n dal i *wisecracko* 'mlaen. Chwerthin am ben hyn a'r llall, David a Glenys, fy rhieni, bywyd yn y cwm, Dan a'i gronis. Pan ddyle pawb fod yn chwerthin am 'y mhen i. Real *twat*. (Fe ddyle pawb fod yn chwerthin am 'y mhen i? Sori. Maen nhw'n gwneud yn barod. A hynny'n gyfiawn ddigon hefyd.)

Ac felly bron nad yw'r daith wedi magu gwerth a phwysigrwydd esthetig. Gan na alla i fod yn sicr o unrhyw sgil-effeithiau daionus a ddaw o'i herwydd hi, yr unig gasgliad posib yw ei bod hi'n donic ynddi'i hun. Neu pam arall fyddwn i'n trafferthu mynd? Alla i ddim fforddio'n iawn. Wna i ddim *mwynhau*'r profiad. Ac er bod teithio'n gwneud lles i'r enaid, a phob math o shit fel yna, wel, dinas yw dinas ac rwy' wedi cael hen ddigon ar ddinasoedd ers tro byd.

18. Enw'n unig . . .

Ac yn sydyn does 'na ddim cymylau y tu allan i'r ffenest ac ma'r awyr yn glir, a dim byd ond tri deg dau o filoedd o droedfeddi o awyr glir rhyngom ni ac eira Gogledd America. Canada. Ac ma'r peth yn grêt. Mae hi'n eira dros bobman yno, ac r'yn ni wedi bod yn hedfan dros dir am bum munud cyfan, ac ma' pum munud wedi'i luosi â chwe chan milltir yr awr yn golygu'n bod ni wedi hedfan dros lawer iawn o dir, a dwy' ddim wedi gweld pentre na thŷ na heol hyd yn oed eto! Ffantastic! Ac mae hi'n ddigon posib y gwna i fwynhau'r profiad wedi'r cyfan. (Bydde edrych lawr nawr a gweld Neil Young yn ei grys *lumberjack* siec, yn chwarae'i gitâr ar bwys tanllwyth o dân mawr, jyst yn berffaith!) Ac ma' popeth mor syth. Ma'r caeau, er bod y lle'n ymddangos yn gwbl ddiffaith ac anghysbell, wedi'u rhannu gan ffensys a ffiniau sydd yn hollol syth. Fel tase 'na ffarmwr ar lawr daear yn nabod pob un fodfedd o bob un cae, ac yn gwybod yn union lle dylai'r ffin fod. Mae e fel gweld y nefoedd am y tro cyntaf, a'r llawr yn garped o feillion ac eirlysiau gwyn, ac eira glân (rwy' wastad wedi hoffi eira. Wastad wedi meddwl y byddwn i eisiau bod yn berchen ar y Swistir, taswn i'n cael dewis fy ngwlad fy hun, ac y byddai 'na eira yn y nefoedd yn rhywle . . .).

Ac ma' 'mhen i fel tase fe wedi'i ludio i'r ffenest. Alla i ddim symud o'r fan. Ma'r hyn sy'n digwydd y tu allan yn rhy bwysig. (Er nad oes 'na ddim byd yn digwydd mewn gwirionedd. Dim ond bywyd yn y rhan hon o Ogledd America'n digwydd fel y digwyddodd ganwaith o'r blaen.) Ond mae 'i weld e fel gweld bywyd ei hun o'r newydd. Fel canfod Iesu yn nyfnderoedd eich enaid (rwy'n tybio). Neu fel bod yn sâl pan 'ych chi'n blentyn, a threulio nosweithiau cyfain a'ch pen i lawr y toilet, cyn dechrau gwella o'r diwedd, a theimlo'r boen yn graddol gilio. A'r hyn sy'n weddill lle roedd y boen yw'r man bach tyner yna – y croen yn dychwelyd i'w rigol ei hun ar ôl cael ei dynnu bob siâp. Ac er taw gweddillion poen yw e, eto, ma'r man tyner hwnnw yn eich bol yn teimlo'n grêt. R'ych chi mor falch fod y chwydu drosodd nes bod y gwella'n cael ei chwyddo, a phob man yn hypersensitif, ac r'ych chi'n synhwyro fod eich bol ar fin bod yn normal eto. Ac mae hynny'n golygu hufen iâ, losin, siocled. Iymi. Rwy' wedi newid fy meddwl. Ma' bod yn obeithiol yn bwysig.

Oherwydd sut arall allwch chi fyw? Ma' bywyd heb obaith yn, wel, anobeithiol. Ac ma'r peth *yn* debyg i brofiad crefyddol. Fi'n rhyfeddu at y byd ac at natur ac at y cread. A Chread Duw? Falle. Ac oni fydde hi'n wych gallu credu hynny? Fod Duw wedi creu'r eira. Wedi'i osod e ar lawr yng Nghanada, ei fod e wedi 'ngosod i wedyn uwchben yr eira hwn, yn ystod rhyw gyfnod bach lletchwith yn fy mywyd, er mwyn i fi deimlo Mawredd, Gogoniant, yr holl bethau yna sy'n dechrau â Llythyren Fawr, yn ymrithio o 'nghwmpas. Oni fydde fe'n grêt gallu credu, ac nid credu mynd-i'r-capel-er-mwyn-cael-mynd-i'r-te-Sulgwyn, fel ma'r cwm yn 'i 'neud. Ond credu go-iawn. Credu. Gwybod. Ac ro'n i'n meddwl erbyn hyn bo' fi wedi llwyddo i cael gwared ar y cwm, gadael popeth fel 'na y tu ôl i fi: y bois rygbi, yfed, yfed, clwb y capel a'r anghydffurfiaeth hawdd – ac mae hi'n rhyfedd meddwl fod rhywbeth gafodd ei enwi'n wreiddiol ar ôl rhywbeth rebelgar, anghonfensiynol, yn beth mor *straight* a di-fflach ei hun bellach, on'd ydy? Falle tase crefydd yn fwy o sialens; hynny yw, yn sialens wirioneddol, nid jyst yn fater o frwydro i gadw'ch llygaid ar agor am awr gyfan, falle byddwn i wedi gallu *dysgu* credu, a bod ar delerau da, os stoicaidd hefyd, gyda Duw ei hun – ro'n i'n meddwl 'mod i wedi dechrau magu fy hunaniaeth fy hun ers bod yn Llundain. 'Mod i'n gymeriad unigryw os nad yn 'gymeriad', yng ngwir ystyr, ystyr Gymreig y gair. Ond na. Ma' sawr y cwm yn drwchus arna i o hyd. Dwy' ddim yn gwbod dim am unrhyw grefydd arall, er enghraifft, nac unrhyw ffordd arall o feddwl am y byd na bywyd na dim, dim ond y ffordd y dysgodd Mrs Rogers fi yn yr ysgol Sul. Ma' 'meddwl i'n hollol gul. A do'dd Mrs Rogers, er gwaetha'i dawn ddigamsyniol wrth drin plant ('Rowch swîts iddyn nhw. 'Nawn nhw rhywbeth i chi wedyn.'), byth yn unrhyw beth tebyg i weledydd Cristnogol. 'Iesu. O ie. Fe yw'r reswm pam 'yn ni'n cael parti Nadolig bob blwyddyn, ife blant?' Fe allai'r profiad hwn nawr, fy ngweledigaeth i ('cans dyna ydyw') fod yn sail i system hollol wahanol o feddwl, a fi'n gwbod dim oll amdani. A bydd y llawenydd plentynnaidd hwn ('O Mami! Eira!') wedi peidio ymhen pum munud heb i fi gael y cyfle i wneud dim ag ef ond ei fwynhau am yr amser byr y bydd yn para.

A dyna daflu dŵr oer ar bethau. Tan i ni gyrraedd y Llynnoedd Mawr, beth bynnag. Oherwydd cyn gynted ag y daw hi'n amlwg nad llyn y *steelworks* ar bwys Port Talbot yw'r màs dŵr sydd oddi tanon ni, fe ddaw'r teimlad o ryfeddod yn ôl. Ma'r llynnoedd yma'n *enfawr*. Pa brosesau – a dyma'r daearyddwr cysglyd yndda i'n deffro o'r diwedd – sydd wedi bod ar waith yma ers cannoedd o filoedd o filiynau o flynyddoedd? Ma' trio amgyffred y peth yn amhosib. Anhygoel. A pha hawl sydd gyda ni i hedfan drostyn nhw fel tasen nhw'n ddim ond pyllau glaw yn y stryd? Fe ddylen ni fod yn gorfod treulio misoedd yn cerdded *o'u hamgylch nhw*, fel yn yr hen ddyddie pan fydde'r *convoys* wedi cyrraedd y llynnoedd hyn ac wedi meddwl fod diwedd y byd jyst yr ochr draw i orwel y dŵr. Mae e'n cymryd y *piss*, *really*. A dyna'r trwbwl nawr. Do's dim byd yn hollol anhygoel bellach. Ma' 'na esboniad i bopeth. Neb yn gallu sefyll 'nôl a rhyfeddu at bethau. Ma' hyd yn oed y 'Great' yn *Great Lakes* yn rhyw fath o anachronistiaeth. Pam maen nhw'n 'Great'? Wel am mai dyna'u henw nhw. Dyna beth ma' pobl yn 'u galw nhw. Ac America yw hyn beth bynnag. Popeth yn *great* fan 'na, os yw e'n fawr neu beidio.

Ond wedi dweud hynny, mae hi'n dal i gymryd mwy o amser i hedfan ar draws Llyn Michigan nag y cymerodd hi i ni hedfan ar hyd Prydain gyfan. A hedfan dros led y llyn wnaethon ni, y darn tenau. Ac mae'n rhaid bod hwnna'n eitha peth.

*   *   *

Ma'r stiwardés yn dod â ffurflenni i ni i gyd. Neu i bawb sydd ddim yn Americanwr beth bynnag. Ffurflenni *Immigration*, yn dweud nad 'ych chi'n mynd i fod yn yr *US of A* am fwy na mis, ac nad 'ych chi'n

mynd i gario unrhyw gyffuriau narcotig i'r wlad (na dod
â nhw oddi yno chwaith mae'n siŵr. Ma'r llywodraeth
eisiau dweud wrth y bobl eu bod nhw wedi cael gwared
ar y *deficit* ac mae'n rhaid iddyn nhw gael yr arian o
rywle . . .), na smyglo unrhyw *live cultures* i'r wlad.
(Mae 'na rybudd y gallai peth mor fach â banana wedi
pydru fod yn 'ddiwylliant' o'r fath, a bod y gosb i
rywun sy'n torri'r rheolau hyn yn llym iawn.) Ac ma'
hyn yn ddatganiad rhyfedd. Neu y mae'n taro'n rhyfedd
ar fy nychymyg i, o leia. *Live cultures.* Ac rwy' jyst yn
meddwl amdanat ti'n darllen y ffurflen hon, oherwydd
fe fyddai'n rhaid i ti fod wedi llanw un o'r ffurflenni
hyn hefyd – un wahanol wrth gwrs. Math arbennig. Nid
yr un un â'r dyn cyffredin yn mynd ar ei wyliau i
Orlando. Ac a fyddet ti wedi darllen y geiriau *live
cultures*, a meddwl amdanat ti dy hun? Ti, Gymraes o'r
cwm, yn gadael un diwylliant i fynd i un arall, un
newydd. Neu ai fy meddwl i sy'n rhy eiddgar eto i
glymu pethau'n daclus? Chwilio am yr elfennau
cyffredin yn fy nhaith i ac yn dy daith di? Fi'n ceisio dy
gyrraedd di? Yn ceisio dy nabod di eto? Ti sydd mor
bell i ffwrdd. Ond mae e'n codi'r cwestiwn on'd yw e?
No live cultures, ac ma' hynny'n *rich*, braidd. Beth,
ydyn nhw'n ofni y gallai unrhyw awgrym o ddiwylliant
byw ddymchwel gyrfa Robin Williams ar amrantiad
neu ddifetha cyfraniad y pompom i dapestri cyfoethog
ein hanes ni fel dynoliaeth yn ymateb yn synhwyrus i'r
byd o'n cwmpas? Rwy'n ceisio dychmygu a ydyn
nhw'n gadael unrhyw un neu unrhyw beth o gwbl i
mewn i'r wlad . . .

*   *   *

Os ydw i'n malu mwy o gachu nag arfer nawr, maddeuwch i mi. Rwy'n *excited* reit. Ac yn nerfus. A dweud y gwir, rwy'n cachu'n hun.

*　　　*　　　*

A phan ddaw Chicago i'r golwg dros y llyn mae e fel cyrraedd byd arall, heb sôn am wlad a dinas arall. Ac ar ôl cannoedd o filltiroedd o ddim byd, ma'r lle'n fyw. Mae e fel gwylio ffilm wyddonias. R'ych chi'n gyfarwydd, mae'n siŵr, â'r math o beth rwy'n sôn amdano fe. Fel *Star Wars*. *Crap*, ond nodweddiadol o'r hyn rwy'n trio'i ddisgrifio. Fel gweld y ddinas honno yn *Empire Strikes Back*. Dinas Lando Calrizzian (dyna'i enw?). Ac mae e fel *oasis* yn y gofod, ynys yn yr awyr a phethau'n hedfan rownd y lle fel clêr rownd lwmpyn o ddail, a phopeth yn *hubbub* o brysurdeb. Dyna fel mae hi yma. Bron na allwch chi weld y clêr yn hedfan o amgylch yr adeiladau uchel, y cwmwlgrafwyr. Ac ma' 'na dawch wedi codi o'r llyn sy'n gweddu i'r ddinas wyddonias hon yn berffaith, a rhai o'r adeiladau wedi'u hanner-cuddio yn y tawch, nes taw dim ond y rhai uchel iawn – Sears, mae'n siŵr, John Hancock hefyd (rwy' wedi gwneud fy ngwaith cartre. Wedi prynu llyfr taith hyd yn oed) – sydd i'w gweld. Ac maen nhw'n edrych fel tasen nhw wedi'u hadeiladu ar y cymylau, a choed ffa'n arwain atyn nhw. Ac mae e jyst mor fawr. Y ddinas gyfan. Yn enfawr, *larger than life*, ac r'ych chi'n gallu *teimlo* dimensiynau afreal y lle o'r awyren, ac o filltiroedd ar filltiroedd i ffwrdd. Rhyw Jimi Hendrix o ddinas yw hi. R'ych chi'n gallu teimlo egni'r lle, hyd yn oed o'r cymylau. Ac fel yr oedd Hendrix yn llwyddo i

151

ddenu sylw ato'i hun heb drio bron, ac yn llwyddo i fod yr *unig* berson oedd yn bodoli, a hynny mewn torf o filoedd ar filoedd, dyna fel y mae Chicago. Mae hi fel petai'r holl wlad o'i chwmpas yn plygu ger ei bron, yn bodoli er mwyn pwysleisio'i haruthredd hi.

Ac ymhen dim ma'r teledu ar yr awyren yn dangos fideo hyrwyddo'r lle, ond fod yr unig hysbyseb werth ei gweld eisoes i'w gweld drwy'r ffenest. (Pam fod Americanwyr yn gorfod gweld rhywbeth ar y teledu gynta cyn meddwl 'i fod e'n *impressive*?) Ac o 'nghwmpas i ymhobman ma' 'na bobl yn estyn am eu *headphones* ac yn dechrau syllu'n dwp ar y sgrin, pan fod popeth yn digwydd y tu allan, tasen nhw ond yn boddran edrych. Ma'n nhw'n syllu'n fud wrth i'r sgrin ddangos yr holl neuaddau a'r adeiladau, Sears – adeilad ucha'r byd – a phobman wedi cael haenen drwchus o golur cyn cael ei ffilmio. Ond pam nad jyst dangos y lle fel y mae? Ydy e ddim yn ddigon *glam*? Ydy edrych drwy'r ffenest, a gadael i ddimensiynau'r ddinas gynyddu bob eiliad nes eich bod chi *yng nghanol* y cwmwlgrafwyr, bron iawn, ddim yn ddigon anhygoel? Ac mae hi'n wir fod America yn lle anhygoel, ond fod ei syniadaeth waelodol hi'n anhygoel o dwp. Ma'r teledu'n dweud wrth y bobl drwy'r amser eu bod nhw'n dwp. 'Dyma chi. Dyma'ch deiet chi am heddi. Ni sy'n penderfynu beth fyddwch chi'n ei feddwl heddiw. Ni sy'n dewis beth sy'n wych a beth sy'n wael, ac allwch chi wneud dim ond derbyn hynny. D'yn ni ddim yn credu fod pobl America'n gallu gwneud llawer iawn mwy na chwerthin am ben rhyw *sitcoms* cachlyd, felly dyma chi ambell *sitcom* gachlyd. Mwynhewch.' Ma' hyd yn oed yr Americanwyr yn edrych ar y ffilm hyrwyddo, ac ma'n nhw'n troi at ei gilydd ac yn dweud, 'Jeez, we live in a great city, man. It just said so on tee-vee'. Wel, ie.

Ac rwy'n meddwl am fyw yn Chicago, ac yn amau a fedrwn i wneud yn iawn. Yn un peth mae hi'n fawr ac yn glawstroffobig yr olwg. (Ac os oedd Llundain yn wael, wel mae'n rhaid fod Chicago ganwaith gwaeth.) Ac mae hi'n swnllyd – mi fedra i glywed y tacsis a'u cyrn, a'r bobl yn gweiddi a'r seirens a phopeth yn barod – ac mae hi'n arw ac yn *abrasive* yno. Ac er nad ydw i wedi gosod cymaint â blaen un droed ar ei thir, rwy'n gwybod mai fel hyn y bydd hi. Ac rwy'n meddwl (yn Allenaidd ddigon) am yr hen jôc honno am Paddy a Murphy'n mynd am dro. (Ac er nad ydw i'n hoff o jôcs sy'n gwneud sbort am ben stereodeip hiliol fel rheol, eto fe alla i ddweud hon yn America, am eu bod nhw'n credu'n ddi-ffael yn y stereodeip Gwyddelig. 'Yeah, man. Mah great grand-pappy was Irish y'know. Yeah. He came from Dunfermline.') Ac yn y jôc ma' Paddy'n dweud wrth Murphy, 'Paddy, edrych ar y fforest yna draw fan 'na', a Murphy'n ateb, 'Pa fforest? Alla i ddim gweld fforest. Ma' 'na ormod o goed yn y ffordd.' Ac fel hyn yr ydw i'n teimlo ynglŷn â dinasoedd. Ma' 'na ormod o adeiladau a phobl, a jyst gormod o bethau'n digwydd yno i chi allu gweld bywyd, a byw bywyd yn iawn. Gormod o bethau yn y ffordd. Ma' 'na gymaint o adeiladau enfawr yn Chicago, er enghraifft, fel ei bod hi'n anodd dychmygu fod 'na le i gerddwyr rhyngddyn nhw. A phawb wedyn yn cerdded rownd y lle yn dal eu hanadl, ac yn ceisio dal eu boliau i mewn er mwyn cael digon o le i basio'i gilydd ar y stryd.

* * *

153

Ac ar ôl i ni hedfan dros gyrsiau golff ac ardaloedd llewyrchus, a chyrtie pêl-fasged ac ardaloedd tlotach, dyma ni uwchben y maes awyr. Ac ar ôl ein cludo ni'n gwbl ddidrafferth dros gefnfor eang a pheryglus, ma'r peilot yn tynnu'i droed oddi ar y sbardun ychydig yn rhy gyflym. Ac am eiliad gyfan r'yn ni yno, uwchben Chicago, a d'yn ni ddim yn hedfan nac yn disgyn, jyst yn aros yn ein hunfan. Yn hofran yn yr awyr, cyn i ni gwympo'n sydyn â holl rym rhyw *rollercoaster* enfawr. Ac ma' stumogau pawb rhywle yng nghyffiniau'u gyddfau (ar wahân i'r bobl hynny sydd wedi hedfan gant a mil o weithiau o'r blaen ac sydd fel pe baen nhw'n deall fod y peilot jyst eisiau cael ychydig o sbort cyn gorffen am fod hedfan yn beth *mor* ddiflas), a phawb yn anadlu ddwywaith yn gynt nag o'r blaen, a phawb, ar ôl taith bleserus a didrafferth o naw awr gyfan, ac ar draws rhai o fannau hynotaf y byd, yn hynod falch i deimlo tir solet, aneironig America.

Ac wrth i fi gamu am y tro cyntaf ar ddaear Americanaidd, mae'r peth yn fy nharo i:

Dyma Chicago. Rwy' i *yma*. Rwyt *ti* yma. (Neu jyst lan yr hewl beth bynnag.) Rwyt *ti* yma, rwy' *i* yma gyda ti. A'r unig beth sy'n ein gwahanu ni nawr yw'r pymtheg mlynedd hynny. A does dim oll wedi digwydd i fi yn yr amser yna. Felly pam nad jyst . . . pam nad jyst anghofio . . . a . . . a beth amdani, *eh*? Ti a fi. Ac rwy'n dychmygu'r olygfa olaf. Y miwisg, y rhamant. Popeth. 'Feels like . . . old times . . . [dym dym dada dym] . . . Staying up all hours, making dreams come true . . . here with you.'

Yeah.

19. Dowagiac

Rwy' am ffindo *motel* bach rhad yn rhywle, ddim yn rhy bell o bobman, ond yn ddigon pell i mi deimlo 'mod i ddim yn gwneud pethau'n *rhy* amlwg. Fel y galla i ddweud, os digwydd i fi fod yn despret am eglurhad, ac yn hollol hollol *stuck* (a does dim amheuaeth o gwbl mai *last resort* fyddai hyn a dim byd arall), 'Ie, ie. O'n i yn yr ardal ac yn meddwl bydden i'n galw mewn i 'weud helô.' Mae e'r esgus mwya gwironeddol erchyll erioed, rwy'n gwbod, ond mae'n bosib y bydd yn rhaid iddo wneud y tro rhywbryd, mewn rhyw sefyllfa neu'i gilydd. Dwy' ddim yn gwbod. Ond o leia fe fydda i rhyw ychydig filltiroedd i ffwrdd. Ac os bydda i rhyw ychydig filltiroedd i ffwrdd ar ochr Chicago, yna o leia fe fydda' i'n gallu dweud 'mod i yma i weld y ddinas honno, ac nid yma'n unswydd i . . . 'Ond o'n i'n meddwl gan bo' fi mor agos bydde fe bach yn *rude* i bido gweud helô, ife.' Ie. *Motel* bach, rhyw bellter cyffyrddus i ffwrdd. Ddim yn rhy agos, ond yn sicr heb fod yn rhy bell chwaith. Dyna fydde orau.

Ond mae'n rhaid i fi gyrraedd yno gynta. Dowagiac. Ac ro'n i'n meddwl ei fod e'n un o faestrefi Chicago ac y gallwn i gael tacsi a bod yno mewn hanner awr. Fel cyrraedd adre o ganol Llundain. Ond ma'n rhaid i fi ddal trên yno, a'r gyrrwr tacsi bron crio chwerthin wrth i fi ofyn iddo fe 'nghymryd i yno. Mae e'n agos i gan milltir i ffwrdd. Shit. Mae e'n mynd a fi i'r orsaf yn lle hynny (– Union Station, lle mae'r grisiau lle cafodd yr olygfa gyda'r pram yn *The Untouchables* ei ffilmio, gyda llaw). Ac yn y tacsi, wrth i ni wau ein ffordd drwy strydoedd Chicago, dan y *Loop*, a thros amrywiol bontydd, bron nad yw hi'n hollol dywyll. Yr adeiladau'n cuddio'r haul. Ac ma'r gyrrwr yn symud o lôn i lôn heb edrych bron, a thraffig ymhobman ond nad yw e fel petai'n sylwi ar ddim byd. Mae e'n dweud wrtha i eu bod nhw'n rhoi rhyw *dye* gwyrdd yn yr afon i ddenu golau'r haul, ac i wneud y dŵr yn fwy dymunol, ond dyw e ddim yn dweud llawer iawn mwy. Jyst yn gofyn ydw i o 'out of town', ac yn dweud fod y trên yn well syniad os ydw i am gyrraedd Dowagiac a pharhau i fod yn ddyn cyfoethog. Dyw Dowagiac ddim hyd yn oed yn yr un dalaith â Chicago. Ma' un yn Michigan a'r llall yn Illinois. Ond wedyn fe alle Dowagiac fod yn un o faestrefi'r lleuad a fyddwn i ddim yn gwybod mwy amdano fe na dy fod ti'n byw yno, ac nad mewn metrau a milltiroedd y mae mesur y pellter rhwng dau . . .

*　　　*　　　*

Ac ar y trên rwy'n edrych drwy'r ffenest ac yn ceisio penderfynu a oeddet ti'n gwybod sut le oedd America, neu'r rhan hon o America beth bynnag, cyn i ti gyrraedd yma. Ac os nad oeddet ti'n gwybod, ac os gyrhaeddaist ti yma, a disgwyl i bopeth fod yn braf ac yn gyfoethog ac yn gyffrous, beth oeddet ti'n ei feddwl o hyn? O'r maestrefi tlawd ar gyrion Chicago? O'r trefi diwydiannol llwm a diflas y pasiodd y trên drwyddyn nhw ar ei ffordd i dy fyd newydd? Neu oeddet ti'n hapus jyst i fod yn rhywle arall, yn rhydd o'r cwm a phopeth, ac unrhyw le'n welliant sylweddol ar y bywyd hwnnw? Oherwydd dyw'r daith o Chicago i Dowagiac, yn wahanol i Chicago'i hun, a'r olygfa gynta honno drwy ffenest yr awyren, ddim yn arbennig o ddeniadol. Ac rwy'n siŵr taswn i yn dy le di y byddwn i wedi edrych o 'nghwmpas a dyheu am gael gweld y cwm eto, a'i law ysgafn, cartrefol. (Ond rwy' i'n *biased*, wrth gwrs. Mae'n rhaid i fi ddweud hynny.) R'yn ni'n teithio ar hyd glannau de-ddwyreiniol Llyn Michigan, ac ma'r llefydd yn mynd yn rhesi heibio inni, a phob un yn union yr un fath â'r un blaenorol. Pob un yn annioddefol o ddiflas a digalon. Dinas Michigan, Lakeside, Harbert. A phob un yn edrych fel pentre diwydiannol Cymreig, ond nad oes 'na ddyffrynnoedd yma a bod y llefydd wedi'u hadeiladu ar raddfa tipyn yn fwy. Ond maen nhw'n teimlo'n union yr un fath. Fel tase'r digalondid a'r diflastod, yng Nghymru ac yn y fan hon, yn *bi-product* o'r gweithfeydd. Fel llygredd neu domenni slag. A does 'na ddim byd arall yn y llefydd hyn. Dim ond y gweithfeydd. A'r llyn yn y cefndir. Ond dyw llyn gwych Michigan hyd yn oed ddim yn gallu arbed y trefi hyn. Mae e jyst yn ychwanegu at y teimlad o *ennui*. Mae e'n estyn ymhellach nag y gallwch chi weld, ac fe ddyle Cyngor Dinas Chicago roi *dye* gwyrdd yn y llyn ei hun hefyd, oherwydd pan 'ych chi'n ei weld e o'r llawr, mae e mor llwyd â'r pentrefi diflas eu hunain.

Ac ma' hyn i gyd yn dipyn o drueni, rwy'n credu. Dwy' ddim wedi teithio tair mil o filltiroedd i weld creithiau diwydiant. Ma'r rheiny i'w gweld 'nôl adre. (Adre adre. Y cwm.) Nid 'mod i'n disgwyl i bopeth fod yn *lovely* o gwbl, ac ma'r llefydd hyn yn hynod ddiddorol beth bynnag. Y gweithfeydd dur hyn sy'n cyflenwi'r diwydiant ceir enwog yn Detroit, sy jyst lan yr hewl (jyst lan yr hewl mewn termau Americanaidd, hynny yw. Jyst fel y mae Dowagiac yn un o faestrefi Chicago). Ond dyw'r ardal ddim yn un sy'n ei benthyg ei hun yn rhwydd i syniadau am ddechreuadau newydd. Ma' popeth yn hen, a threfi cyfain yn edrych fel pe baen nhw wedi llwyr ymlâdd ar ôl oes o lafur hir, a dim egni ar ôl gyda nhw nawr i frwydro yn erbyn eu dirywiad. Mae e wir yn eitha trist. A lle roedd y llyn wastad y tu cefn i bopeth, yn rhyw fath o *lifeblood* i'r ardal, nawr mae e wedi ceulo, bron. Yn hollol lonydd, a haenen denau o *scum* llwyd yn llyfu'r glannau â phob ton ysgafn.

Ond wrth i ni adael y llyn a phrysuro ymlaen at berfeddion gwlad, ma' pethau'n gwella, a chaeau'n dod yn fwy niferus a gwahanol gnydau'n tyfu ynddynt, ac mae'n siŵr erbyn hyn y byddet ti wedi codi dy galon. Wedi gweld nad oedd pethau'n llwyd i gyd, a bod America mewn gwirionedd yn ddigon neis. Yn iawn. Ac fe fyddet ti wedi gallu ymlacio tipyn. Eistedd yn ôl yn dy sedd a mwynhau'r olygfa. (A dyna un peth da am drenau America. Ma'r seddau dipyn yn fwy na rhai Prydain, ac ma' llwyth o le i'ch coesau chi dan y sedd nesaf. R'ych chi'n gallu eistedd ar drên yma heb i chi deimlo'ch bod chi'n eistedd yn yr *electric chair*.) Ac ma'r enwau'n dal i ddod: Three Oaks, Galien, Dayton, a phob un yn gam arall tuag at Dowagiac a phen y daith. Summerville, Pokagon, Grange a'r arwyddion yn eich croesawu chi i bob man. 'Dayton welcomes you. Have a nice day', 'Welcome to Pokagon, historical town' a.y.b. Ac er bod pobman yn gobeithio'n arw y cewch chi amser 'Great' (yr un 'Great' ag sy yn 'Great Lakes' mae'n rhaid), eto, do's neb yma'n disgwyl i'r dymuniadau gorau hyn fod yn fwy na thric *PR*. Fe brynes i bapur newydd oddi ar stondin yn y maes awyr – copi o'r *Tribune* – a rhoi papur doler i'r fenyw oedd yn gweithio yno. Wrth iddi roi'r newid i mi, dyma fi'n dweud 'Oh, thanks very much', jyst o ran cwrteisi. Ond roedd hi'n hollol *shocked*. Fel tase neb wedi dweud diolch wrthi am unrhyw beth erioed. Rhyfedd. Ac ma' pawb yn dweud 'Have a nice day' ond bo' nhw ddim yn meddwl am y peth. R'ych chi'n gallu dychmygu rhyw *management training centre* yn rhywle yn dweud wrth weithwyr sut i fyhafio: 'Iawn. Ma'r dyn newydd eich bygwth chi â *Magnum*, ac wedi'ch gorfodi chi i roi holl gynnwys y til iddo fe. Mewn sefyllfaoedd fel hyn, ma' disgwyl i chi wneud yn union beth ma'r lleidr yn ei ddweud wrthych chi cyn canu'r gloch rybuddio. Ond da chi, dymunwch ddydd da i bob cwsmer. Hyd yn oed y rheiny sy ddim yn talu'. *Nuts*.

Ac rwy'n dechrau blino nawr hefyd. Diwrnod hir. Ac fe fydde hi wedi bod yn ddiwrnod hir *heb* y gwahaniaeth amser rhwng Prydain ac America. Ond ma'r pump awr hynny'n ormod i mi. Ma' fy llygaid i bron marw eisiau cau. Ond alla i ddim cysgu. (Hynny yw, alla i ddim fforddio cysgu. Mae'n rhaid i fi beidio cysgu. Fe allwn i *fynd* i gysgu, heb unrhyw broblem.) Ac mae'n siŵr y gwna i syrthio i gysgu a deffro yn Toronto neu rywle, a gorfod treulio diwrnodau cyfain a channoedd o ddoleri wedyn jyst i gyrraedd yn ôl i'r fan hon. Alla i ddim syrthio i gysgu. Mae'n rhaid i fi aros ar ddi-hun. Ond ma'n llygaid i'n dechrau ennill y frwydr, a'r meddwl ar fin caniatáu rhyw bum munud bach pan ddaw llais y gyrrwr ar y *tannoy*. 'We will shortly be arriving at Dowagiac Central Station. Dowagiac will be our next stop. Dowagiac.' A thu allan i'r ffenest mae 'na dref a lot o dai brics coch, ac r'yn ni'n aros am ychydig funudau y tu allan i'r orsaf, nes iddyn nhw glirio'r trac, neu falle'n bod ni'n gynnar (Cynnar? Ar drên? Dim ond yn America!), ond beth bynnag, r'yn ni yna. Wedi cyrraedd. A dwy' ddim yn gwbod nawr a ddylwn i deimlo'n gyffrous, yn ofnus, neu'n *resigned*, neu beth. R'yn ni yma. Sy'n golygu nad oes 'na fwy o deithio i fod. Na mwy o gynllunio, na mwy o feddwl. R'yn ni yma, ac o'r diwedd mae'n rhaid i fi feddwl am yr holl syniadau mawr oedd gen i, a'r holl freuddwydion, dyheadau, beth bynnag oedden nhw, fel diriaethau. Realiti. A dwy' ddim yn barod o hyd. A chyn hir fe fydd yn rhaid i fi benderfynu pa grys i'w wisgo ar y diwrnod mawr. Pethau brawychus fel yna. Ac rwy'n gwybod 'mod i wedi gwneud camgymeriad mawr. Y mwyaf un, o bosib. 'Disaster, Reggie. Absolute disaster. I didn't get where I am today without . . .' A dyna ymddangosiad cyntaf gan Reggie Perrin. Tipyn o arwr gen i. Ac mae'n syndod na ddaeth e i'r golwg cyn hyn, ond dyna ni. Mae e yma nawr. Ac mae hi'n amheus gen i a fydde fe 'i hun hyd yn oed – yr arbenigwr mwya' un ar deithiau *whack-job* – yn deall natur a bwriad ac amcan y daith hon. Help. Shit. Na. *Bollocks*.

*　　　　*　　　　*

Erbyn i fi ddod o hyd i dacsi y tu allan i'r orsaf yn Dowagiac mae hi'n dechrau tywyllu o ddifri. Ma'r awyr yn goch llachar o hyd, a'r haul dim ond newydd ddiflannu dros y gorwel, ond ma' goleuadau'r stryd ynghynn a'r gyrwyr i gyd wedi cynnau goleuadau'u ceir. Fan yw'r unig dacsi sy ar gael, rhyw fath o *people carrier*, ac mae e'n ddigon mawr i gario wyth heb drwbwl yn y byd. Rwy'n gofyn i'r gyrrwr ydy e'n rhydd, yn gallu mynd â fi i rywle. Mae e'n dweud, 'Sure. Where is it ya wanna go?' Dwy' ddim yn gwbod. Mae e'n dweud y bydd hi rhyw bum doler yn ychwanegol os taw dim ond fi fydd yn mynd yn y tacsi. 'You all by yoorself?' 'Yes,' ac rwy'n ofnadwy o ymwybodol o *lilt* fy acen i. Ma' Saeson, pan ma'n nhw'n trio bod yn garedig am yr acen Gymreig, wastad yn cyfeirio at y 'singsong lilt'. Ac mae e'n ddisgrifiad hollol nawddoglyd a dwy' byth wedi bod yn rhy hoff ohono fe, ond fan hyn, ac os gellir anghofio'r cynodiadau nawddoglyd hynny, fe alla i glywed y *lilt* yn fy llais. Y rhythm ysgafn. 'Yes, I am yes. On my own.' Rwy'n gofyn iddo fe a ydy e'n gwybod am unrhyw *motels* rhad ond eithaf neis yn Dowagiac, neu jyst tu fas, ac mae e'n dweud wrtha i am fynd i'r cefn ac y byddwn ni yno mewn dwy funud. Ma'r sgwrs yn ddigon tebyg i un o'r sgyrsiau *covert* yna mewn ffilm gangster. 'You got the merchandise?' 'Yeah. You got the cash?' 'Yeah.' A dwy' ddim yn gwbod a yw pawb yn America'n siarad fel tasen nhw'n cymryd rhan mewn ffilm, neu a yw ffilmiau Americanaidd wedi meistroli'r grefft o lunio deialog realistig, a taw fel hyn yr oedd pobl yn siarad beth bynnag, cyn i ffilmiau boblogeiddio'r acen Americanaidd, ond ma' tôn ein sgwrs ni'n f'atgoffa i o'r math yna o olygfa. (Ac os taw fel hyn y mae pobl yn siarad beth bynnag, yna y mae'r

Asiantaeth Hybu America *on to a winner*. 'Come to the land where everyone's a character in a movie!') Lot o gwestiynau, ac atebion byr, ac ateb cwestiwn drwy ofyn un arall.

Ond ma'r math yma o sgwrs yn gweithio, mae'n amlwg, oherwydd ymhen munud r'yn ni'n gyrru trwy Dowagiac ei hun, a goleuadau ymhobman. Neon. Ac nid mewn dinasoedd yn unig y mae popeth yn binc neu'n biws neu'n wyrdd. R'yn ni mewn tref gymharol fechan ac ma' hi fel bod yn Piccadilly. *Bigburger* a *24oz Monster-steaks* yn goleu'o'r tywyllwch. *Motels* yn $15 y noson a brecwastau enfawr yn $2. Ac wedyn ma'r *M*s aur cyfarwydd yn britho'r wyneb bob dau ganllath, ac mae e'n gwneud i'r lle edrych fel *red light district*, a phobman yn hysbysebu *Live Shows* a *Lap Dances*, ond eu bod nhw'n gwerthu bwyd, bwyta, stwffo, ac yn stwffio'r holl beth i lawr eich gwddf. Ac ma' 'na rywbeth sylfaenol anfoesol am hyn i gyd. Yr holl loddesta, bwyta cymaint ag y gallwch chi, bwyta nes chwydu, bwyta nes troi'ch tu mewn yn un màs ffiaidd o stumogau buchod hormonaidd a braster, a mynd yn ôl wedyn am fod popeth mor rhad. Pam na gewch chi *Fatburger* arall, a do's dim ots os nad 'ych chi wir eisiau bwyd, ma' popeth mor rhad! Dewch, bwytewch! Pesgwch eich hunain, *for tomorrow you die*! Ac er nad ydw i'n arbennig o ddyngarol, nac yn teimlo'n ddigon hunagyfiawn i bledio achos y rhai sy'n 'llai ffodus na fi', ma'n rhaid gofyn: Os yw bwyd mor rhad, pam nad yw pawb yn gallu bwyta digon? Pam na wnaiff Mr Fatfuck Americanwr roi'i bedwaredd neu'i bumed byrgyr i rywun nad yw wedi bwyta ers pythefnos?

Ac ar ôl popeth, ar ôl i'r gyrrwr fy ngadael i yng

nghanol y neon hwn, rwy'n dewis *motel* bach eitha di-
nod. Un heb arwydd na broliant ar ei gyfyl. Mae e'n
ddrytach na'r $15 sy'n dal i danio'r nos yn fflachiadau
gwyrdd liwminesant, ond bron na allech chi ddweud ei
bod hi'n werth talu mwy jyst i fod yn rhydd o'r fath
beth. A does 'na ddim gormod o wahaniaeth rhwng un
motel ac un arall, beth bynnag. Felly rwy'n talu o flaen
llaw am dair noswaith mewn stafell sengl ac yn dweud
wrth y fenyw sy'n rhedeg y lle ei bod hi'n bosib y
bydda i eisiau aros am ychydig ddyddiau ar ôl hynny.
Mae hi'n dweud fod hynny'n iawn, 'You're welcome',
ac yn dweud y galla i aros tan pryd bynnag y bydda i
eisiau, dim ond i fi roi diwrnod o rybudd cyn i fi adael.
Mae hi'n gosod allwedd ar y ddesg o'i blaen ac yn troi i
ffwrdd, fel petai ganddi ryw fusnes pwysicach ar ei
hanner yn rhywle arall.

*   *   *

Mae'r stafell yn iawn. Yn ddim mwy nag y gallech chi'i
ddisgwyl mewn *motel* rhad. Bocs. Ma' 'na wely sengl
sengl iawn yn y gornel bella a ffenest lydan uwch ei
ben. Wedyn drych, bwrdd, cwpwrdd. Ma' 'na ddrws ar
yr ochr dde a stafell molchi bitw y tu ôl iddo. A dyma
fydd *base camp* tra bydd yr *operation* yn mynd yn ei
flaen. Ar y wal ma' 'na lun o Glenn Miller, a'i fand yn
sefyll yn browd y tu ôl iddo fe (dyw Kalamazoo ddim
yn rhy bell o Dowagiac), ac ma' 'na boster gyferbyn â'r
llun yn dangos holl symbolau talaith Michigan: blodyn,
Afallen; coeden, Pinwydden Wen; aderyn, y Robin
Goch cyffredin. Ma' 'na lun o'r faner hefyd, ac ma' gan
dalaith Michigan bethau mor rhyfedd â'i charreg

symbolaidd ei hun ('Petoskey') a physgodyn emblematig (Brithyllen o ryw fath)! Ac yn absenoldeb unrhyw hanes go-iawn (beth yw cwta ddau can mlynedd?) ma' 'na griw o bwysigion mewn siwts da wedi dod at ei gilydd i ddyfeisio pedigri a chymeriad i'r lle. 'Iawn. Gawn ni hwn yn fascot inni, hwn yn aderyn swyddogol, a beth sydd ddim ganddyn nhw yn Illinois? O ie. Eu carreg eu hunain. Gawn ni'r Petoskey. Beth 'chi'n 'weud, bois!'

Ond ma'r stafell yn iawn. Cystal ag y gallwn i fod wedi'i ddisgwyl. Ac mae hi wedi bod yn ddiwrnod hir iawn. (Erbyn 10 o'r gloch heno fe fydda i wedi bod ar 'y nhraed ers ugain awr.) Ac o leia mae 'na gawod yn y stafell molchi, a digon o ddŵr twym yn y tanc. Fe ga i gawod gyflym a mynd i'r gwely'n gynnar. Diwrnod mawr fory a.y.b.

Ond mae e'n fy nharo i, wrth i fi sefyll yn y gawod – a does gen i ddim digon o egni i ymolchi'n iawn hyd yn oed; rwy' jyst yn sefyll yno ac yn gadael i'r gwres ledu'n raddol ar hyd fy nghorff – nad ydw i'n gwybod yn iawn beth i'w wneud o hyn ymlaen. Rwy' wedi cyrraedd *uncharted territory* am y tro cynta. Oherwydd cyn nawr ro'n i'n gwbod yn fras ble i fynd, sut i gyrraedd yno a.y.b. Roedd gen i gynllun, a hyd yn oed pan nad oedd y cynllun yn rhyw fanwl iawn, fel heno, wrth i fi chwilio am rywle i aros, o leia roeddwn i'n gwybod fod yn rhaid i fi aros yn rhywle ac y byddai un *motel* cystal ag un arall. Ond nawr 'y mod i yma, a chan 'y mod i wedi cyflawni pob un o'r tasgau ymarferol, wedi defnyddio pob tocyn, wedi cwblhau pob cam mewn taith hir anhygoel, gan 'y mod i wedi rhoi tic wrth ochr pob eitem ar y rhestr 'I'w gwneud' yn fy meddwl, rwy' ar goll. Yn ymbalfalu yn y tywyllwch. (Sydd yn ddigon eironig o ystyried y goleuadau ar y stryd tu allan, a'r gair 'Bargains' enfawr sy'n ymddangos ar y nenfwd yn fy stafell bob eiliad a hanner.) Ond mae e'n wir. Does gen i ddim syniad be wna i fory, er enghraifft. Fe allwn i aros yn y gwely drwy'r dydd, a phwy a ŵyr na wna i ddim. Ond fe fydde hynny'n wastraff hollol, ac fe fyddwn i wedi dod yr holl ffordd i Dowagiac i wneud yr hyn yr ydw i wedi'i wneud ers oesoedd: mynd i'r gwely'n hwyr a chodi'n hwyrach. Ac mae'n debyg y dylwn i fynd i edrych rownd y lle fory. Neu yn y bore o leia. Gweld sut le sy 'ma. Gweld sut le rwyt ti wedi dod iddo fe. Mynd i edrych am y Petoskey enwog neu rywbeth. Ac mae e'n dipyn o boen, yr holl ansicrwydd yma. Rwy' wedi bod yn aros am y daith hon ers misoedd (blynyddoedd hyd yn oed. Ma' hwn yn rhywbeth y dylwn i fod wedi'i wneud flynyddoedd yn ôl pan oeddwn i'n dal yn ddigon ifanc i'r daith fod yn werthfawr, beth bynnag ddigwyddith yma), ac os na fydda i'n gallu gwneud y gore o'r amser yma, neu'n gorfod 'y ngorfodi'n hun i wneud pethau, a jyst bod yn ddiog rownd y lle, fe fydda i'n *pissed off* uffernol. A dyw e ddim yn lot o uchafbwynt, ydy e, *really*? Pa fath o arwr sy'n mynd ar odysi i diroedd diffaith ac anghysbell a pheryglus, ac yn cyrraedd yna heb wybod pam na sut na beth ddyle fe 'neud wedyn? R'ych chi jyst yn gallu dychmygu Eneas yn cyrraedd Rhufain, ar ôl bod ar y môr am flynyddoedd a bod yn yr is-fyd, ac ar ôl siarad â'r duwiau a phopeth, ac yn dweud, '*Sod it*, 'wy'n mynd i'r gwely. Deffrwch fi pan fydd popeth drosodd'. *Buck up*, *old boy*, *eh*? Ac mae'n rhaid i mi ystyried pethau'n ofalus. Trefnu'r dyddiau'n iawn. Peidio gadael eiliad yn sbâr pan allwn i fod yn gwneud rhywbeth o werth.

Fory felly. Crwydro yn y bore, ond crwydro pwrpasol. Mynd i ganol y dre, prynu papur, 'i ddarllen e, cael syniad o beth sy'n digwydd yma. Ffindo mainc neu rywbeth yng nghanol y dre, ac eistedd i lawr am awr fach. Hamdden. Cadw llygad yn agored . . . Wedyn prynu ambell beth i fynd 'nôl i'r stafell gyda fi. Llaeth, te, siwgwr. Torth, menyn. 'Nôl i'r stafell, cinio, mynd i drio llogi car ac wedyn . . . ond ma' 'na rai pethau na ddylech chi 'u trefnu'n rhy fanwl. Ac erbyn nos yfory . . . A dyna lle ma'r broblem. Dwy' ddim eisiau meddwl am nos yfory nac am y diwrnod ar ôl hynny. Dwy' ddim hyd yn oed eisiau ystyried beth *allai* ddigwydd yma, yn y tridiau nesa, a hynny heb sôn am beth ddigwyddith ar ôl i fi fynd nôl i Lundain . . . Ond mae'n rhaid i fi geisio cael rhyw fath o gynllun at ei gilydd. Ond mae e jyst mor uffernol o anodd pan nad ydw i eisiau cyfaddef beth yw fy nyheadau, fy ngobeithion, hyd yn oed wrthyf fy hun. Alla i ddim jyst gadael *blanks* a dweud, 'Iawn, yn y llefydd hyn ma' 'na bethau pwysig i fod i ddigwydd'. Pa bethau pwysig? Mynd i'r tŷ? Cnocio'r drws? Mynd i mewn, hyd yn oed? Neu gael paned yn y gegin *open plan* sy gyda nhw, a thrio ffindo cader heb deganau neu ddolis arni . . . A dwy' jyst ddim eisiau meddwl am hyn. Hyd yn oed nawr, pan na alla i beidio, mewn gwirionedd. Rwy' wedi talu cannoedd i ddod yma, i wynebu'r union gwestiynau yma, ond alla i jyst ddim mo'i wneud e. Mae e'n amhosib. Rwy'n hollol *petrified*.

Ac yn ystod hyn i gyd, rwy' wedi dod allan o'r

gawod, ac wedi sychu, ac wedi rhoi fy mhyjamas glân
amdana'i. (Ma'n nhw'n edrych yn debycach i *tracksuit*
nag i byjamas iawn, rhag i chi feddwl 'mod i'n swancio
o gwmpas yn fy *paisley*, fel tasen i'n mynd i ail-godi'r
diwydiant siôls brethyn ar fy mhen fy hun.) Ond rwy'n
dal i ddychmygu'r olygfa wrth dy ddrws ffrynt di. Yn
dychmygu estyn fy llaw yn araf tuag at y gloch, a'r
camera'n ei dilyn, ar *tracking shot* araf, ac un bys yn
ymestyn o'r dwrn ac yn anelu am y botwm. Rwy'n ei
wasgu, ac yn lle rhyw ding-dong cyffredin, mae e'n un
o'r clychau hynny sy'n canu fel corn car y *Dukes of
Hazard*. Ac ma' hwnna jyst yn grêt. Real hunllef Dali.
Gorwedd yn y gwely'n methu clywed dim heblaw corn
y *Dukes of Hazard* yn troi'n ddiddiwedd yn fy mhen . . .

20. *Après nous* . . .

A does 'na ddim gormod ar ôl i'w ddweud nawr. Dim ond y stwff *boring*. Hynny yw, y math o stwff r'ych chi'n ei roi mewn dyddiadur pan 'ych chi'n blentyn: Fe godais i bore 'ma am hanner awr wedi saith ac roedd hyn yn eithaf syndod oherwydd ro'n i wedi blino tipyn neithiwr. Ond hyd yn oed erbyn hanner awr wedi saith ro'n i wedi bod yn cysgu ers naw awr, ac er bo' fi wedi trio, do'n i ddim yn gallu mynd 'nôl i gysgu ar ôl dihuno. Y math yna o stwff. Ges i frecwast am wyth lawr llawr yn y *motel*, mewn lle oedd yn debycach i ffreutur ysgol. Posteri dros bobman yn gofyn i chi beidio rhedeg o gwmpas a gwneud sŵn ar ôl deg y nos a phob math o bethau fel yna. Ges i ddau wy – ma' Americanwyr yn *big* ar wyau mae'n rhaid dweud – a thipyn o ffwdan wrth drio cael un wedi'i ferwi'n galed. 'Nath y fenyw ddweud y byddai hynny'n cymryd rhyw hanner awr, a dwy' ddim yn gwbod beth oedd hi'n mynd i'w wneud â'r wy oedd yn mynd i gymryd hanner awr – falle 'i ferwi fe *yn* yr iâr ei hun – ond fe wedes i y bydde dau wy wedi'u ffrio'n iawn. (Ma' ganddyn nhw derminoleg wyau hollol wahanol i ni hefyd. 'Fried over easy' yw wy normal wedi'i ffrio'n normal, a dwy' ddim yn gwbod beth yw wyau wedi'u sgramblo. 'Moon-rock eggs', neu 'Eggs Samson-in-the-city-style', falle.)

Ac ar ôl bwyta fy wyau ac yfed fy nhe, es i i'r dre. Dowagiac. Dim llawer yno. Mae e'n un o'r llefydd 'na sy'n swnio'n fwy cyffrous nag yw e mewn gwirionedd. Mae e'n swnio'n Americanaidd ac yn cŵl, ac r'ych chi'n disgwyl gweld olion yr hen America gyntefig yno, ochr yn ochr â'r America fodern, ond y cyfan sy yna yw siopau, caffis, y math yna o beth. (Mae e tamed bach fel gogledd Cymru mewn rhai ffyrdd. R'ych chi'n clywed yr holl enwau hyn – Dinas Mawddwy, Dinas Dinlle, Penrhyn, Bethesda – ac yn ôl y ffordd ma' pobl yn siarad amdanyn nhw fe allech chi dyngu 'u bod nhw'n ganolbwyntiau'r bydysawd, ond r'ych chi'n mynd yna wedyn a chyn i chi droi r'ych chi wedi gadael y lle ar ôl. 'So what's all that about then?') Ma' 'na *mall* yno, a dyma bwynt ffocal y dref, yn ôl pob golwg. Ma' gyda nhw siopau di-ri yma – ac er bod pob Americanes fel tase hi wedi'i gosod ar y ddaear hon yn unswydd er mwyn siopa, eto, maen nhw i gyd, heb eithriad, yn gwisgo jîns a *trainers* – a mwy fyth o gaffis a llefydd bwyta. McDonald's arall, a byrgyrs yn 39¢, a llefydd *Mexican* ac Eidalaidd, a phob bwrdd ymhobman yn llawn. Rwy'n aros am le gwag ac yn archebu coffi, a thua'r amser hyn ddoe ro'n i yn Y Central yn yfed coffi. Heddi, Dowagiac, Chicago. Ond rwy'n dal i yfed coffi. Jyst fod y llun cefndirol wedi newid ychydig. Rwy'n dal i yfed coffi, ac yn dal i aros, a heb fod fymryn yn gallach, mewn gwirionedd. (Rwy'n siarad am ddoe fel tase fe flynyddoedd yn ôl. Ac mae e'n teimlo'n bellach na diwrnod yn ôl, ond mae'n debyg fod lot wedi digwydd yn yr amser hynny. Neu ar olwg arall, dim byd. Dim oll wedi digwydd.) Ond ma' popeth yn mynd yn ei flaen a phawb yn prysuro i bobman, a phopeth wedi'i drefnu fel ei fod yn cymryd cyn lleied o amser ag sy'n bosib. Bwyd, er enghraifft. McDonald's, ac os yw popeth mor rhad fel eich bod chi'n gallu cael unrhyw beth am lai na doler, yna does dim rhaid i chi feddwl am brisiau nac am dorri papur ugain neu am dalu mwy i gael *vegetarian option*, achos bod popeth yn llai na doler beth bynnag. Ac fe allwch chi gael beth bynnag 'ych chi 'i eisiau. Ac am fod pawb yn penderfynu beth maen nhw'n mynd i'w gael ar sail hoffter ac nid arian nawr, ma' pawb yn cymryd llai o amser i ordro, a'r ciwiau'n llai, a'r amser aros yn llai. A dim ond i chi fwyta wedyn fel tasech chi heb weld bwyd ers oes, fe allwch chi fod nôl yn siopa fel *professional* ymhen pum munud.

Ma' 'na real bargeinion i'w cael heddi hefyd. Mae hi'n ddiwedd tymor y gaeaf/gwanwyn yn y siopau, a phawb yn newid ei stoc, ac er ei bod hi'n ddechrau mis Ebrill oer, ma' 'na *shorts* yn ymddangos ymhobman, a chapie pêl-fas, a *shades*. (Ma'n nhw'n tynnu'r *stock* haf i lawr yng nghanol mis Awst wedyn, ac yn dechrau paratoi at y Nadolig . . .) Ond ma'r hen stwff yn rhyfeddol o rad. Trowsus am ddecpunt, siwmperi, crysau, sgidie a phopeth. Ac enwau da hefyd. Levi's yn bymtheg punt, *trainers* Nike, Adidas, Reebok a phawb yn prynu prynu prynu, fel tase'r ddoler ar fin dymchwel ac America gyfan ar fin ehangu'r *Eastern Bloc*. Ond do's na ddim peryg o gwbl i hynny ddigwydd. Oherwydd ar ôl i un rac dillad ddiflannu, maen nhw'n tynnu un arall o'r cefn ac ma' popeth yn mynd yn ei flaen fel o'r blaen. Do's 'na fyth brinder, dim shwd beth â dim mwy, a digon o *goodies* i bawb gael gwerth ei ddoler. 'All you never had of goods and sex'.

Ac wedyn dyw'r boi yn Hertz erioed wedi gweld pasport o Brydain o'r blaen, ac mae e eisiau gweld trwydded yrru Talaith Michigan.

'No, my good man. You're not following me, are

you. I do not live in Michigan State, *ergo* I do not have a Michigan State driver's licence. *Comprende*? I am a British Citizen, goddammit. Look here. Her Majesty the Queen *commands* you to recognize the holder of this passport, i.e. me, as such. You *will* recognize this document.'

A hyd yn oed ar ôl i fi esbonio'r sefyllfa wrth y twpsyn mae e'n *dal* yn gorfod mynd i gael gair gyda'r bòs. 'Well, ya see. We don't get many of these round here, y'know. Lemme check it out with mah boss'. A'r bòs wedyn yn dweud y bydd yn rhaid iddo fe ffonio *Head Office*, tan i fi wagio holl gynnwys fy waled ar y bwrdd o'i flaen e. Trwydded yrru lân (mae gen i un, er nad ydw i erioed wedi bod yn berchen ar fy nghar fy hun), cardiau banc, cardiau credyd, tocynnau trên, tocynnau awyren, papur decpunt o drysorlys Ei Mawrhydi, hen gerdyn aelodaeth y Blaid Lafur hyd yn oed, a phob peth yn tystio i'r ffaith taw fi yw D. Gilley, a 'mod i'n dod o Brydain, a 'mod i'n gallu gyrru car. Haleliwia.

Ac rwy'n gyrru 'nôl i'r *motel* felly, ac yn meddwl y dylwn i fod wedi prynu car flynyddoedd maith yn ôl pan oedd gen i dipyn o arian, neu pan oedd gen i fodd i ennill a chynilo arian beth bynnag. Ond wedyn ma' 'na lorri enfawr gyhyd â'r stryd yn gyfan yn mynd heibio i fi yn y lôn nesa ac rwy'n gorfod gwthio 'nhroed drwy'r llawr er mwyn arafu, ac ma' nghalon i'n cyflymu a'r gwaed yn syrthio'n gyfan gwbl i 'nhraed ac rwy'n teimlo fel taswn i ar fin llewygu. A does 'na ddim ffordd yn y byd y dylwn i fod wedi cael car gan Hertz. Alla i ddim gyrru'n iawn. Fe ddysgais i 'nôl yn y cwm, do, ond wedyn roedd pawb yn dysgu a dwy' ddim yn credu fod neb erioed wedi ffaelu'r prawf. Ddim pryd 'ny beth bynnag. 'Odd yn rhaid i chi fod yn dwp neu'n dost i bido pasio yn y cwm. Ond roedd hynny flynyddoedd yn ôl. Ac ers hynny rwy' wedi gyrru car Dad cwpwl o weithiau a dim mwy. A dwy' erioed wedi gyrru yn Llundain hyd yn oed. Nac wedi gyrru *automatic* o'r blaen, nac wedi gyrru ar y dde! Mae e'n hollol *crazy*. Ond rwy'n mentro 'mlaen yn ara bach, ac erbyn cyrraedd y *motel* eto rwy'n eitha ffyddiog 'mod i'n ddigon siŵr o 'mhethe i bido troi i'r chwith yn sydyn heb feddwl, neu i yrru ar hyd y lôn anghywir ar ffordd ddeuol. A dyw gyrru *automatic* ddim yn rhy anodd beth bynnag. Un pedal i fynd, ac un arall i stopio. Ac fe ddechreuais i wneud cwrs ymchwil, felly do's bosib 'mod i'n gallu gyrru car. (Rwy'n cofio meddwl pan oeddwn i'n astudio ar gyfer fy arholiadau Lefel A nad oedd gormod o ots a fyddwn i'n pasio neu beidio. Fe allwn i fynd yn yrrwr tacsi beth bynnag ddigwyddai. Ac mae hi'n rhyfedd meddwl tasen i *wedi* mynd yn yrrwr tacsi bryd hynny y byddwn i lot gwell off nag yr ydw i nawr.)

*   *   *

Ac yna dyw hi ddim ond yn fater o yrru draw i'r tŷ a dweud helô. 'Helô, shw' mae, shw' mae'n ceibo.' Mae gen i gar, mae gen i gyfeiriad, mae gen i ddigon o amser. Ond r'ych chi'n gwbod hyn i gyd yn barod. A dyna i gyd sy'n rhaid i mi 'i wneud. A dyw e ddim yn anodd iawn chwaith. Oherwydd os bydd hi'n falch i 'ngweld i, yna fe a' i i'r tŷ i gael sgwrs a ti'n-cofio'r-tro, ac os na fydd hi'n falch i 'ngweld i fe a' i i'r tŷ beth bynnag i gael sgwrs, ac ar ôl hynny fe fydd hi'n gallu cau'r drws ac anghofio pob dim amdana i eto. Ac fe fydd hi'n pwslo am dipyn mae'n siŵr. Beth ar wyneb daear mae *e*'n 'i 'neud fan hyn? Pam ar wyneb daear? Sut ar wyneb daear? Ac ar ôl y sioc cychwynnol, fydd dim ots 'mod i wedi bod 'na, mwy na tasen i heb fod yn agos i'r lle. (Oni bai 'i bod hi'n dechrau meddwl 'mod i'n rhyw *psycho* sy wedi bod yn gwylio'i chartref hi ers misoedd, er mwyn ei phoenydio hi, neu 'i lladd hi, a hi'n cael hunllefau wedyn, ac yn gweld fy ngwyneb i ymhob dim: yn y gyllell fara, yng ngraen cyfoethog y bwrdd bwyta mahogani, neu wrth iddi lanhau'r toilet, a'r dôn yn newid yn sydyn o ryw damaid o *confessional* diniwed i rywbeth mwy sinistr, maleisus . . . Ac mae hi'n ddigon posib nad ydw i cweit yn *compos mentis* ac mai cynnyrch rhyw feddwl go ryfedd oedd y daith hon o'i dechrau i'w diwedd – fe allech chi hyd yn oed ddweud ei bod hi'n *ill-conceived* – ond dwy' ddim yn wallgo. Eto. Dwy' ddim cweit wedi cyrraedd y pwynt pan fydda i'n brwsio'r blew ar gledr fy llaw. Hynny i gyd i ddod mae'n rhaid. A fydd dim rhaid iddi newid cloeon y drysau, nac edrych yn ofalus rownd yr ardd bob nos cyn iddi dynnu'r llenni.) Ac mae e'n hawdd. Jyst gyrru yno, parcio'r car a mynd i'r tŷ. A bron na fydd y daith yn y car *i'r* tŷ yn fwy anodd, rhwng y *juggernauts* a'r *nutters* sy ar yr hewl nawr, a phopeth.

Ond alla i ddim symud. Rwy'n eistedd wrth y llyw, ac ma'r darn o bapur gyda dy gyfeiriad di arno fe (''Sgrifenna ata i.' Ond doeddet ti byth o ddifri, oeddet ti? Doeddet ti ddim yn meddwl y byddwn i'n anfon cymaint â cherdyn post i ti, heb sôn am fy nanfon fy hun dros y môr, nag oeddet?) ar y *dash* o 'mlaen i. Alla i ddim tynnu'n llygaid oddi arno fe. Nid 'mod i ddim yn siŵr o'r cyfeiriad, neu 'mod i angen y papur i'w gofio fe'n iawn – mae e wedi bod ar fy nghof ers llawer i flwyddyn: 227 East Grand River, Dowagiac MI, Michigan – jyst alla i ddim . . . Hynny yw, dwy' ddim yn siŵr ydy e'n syniad da erbyn hyn. Nid mynd i dy weld di, neu drio dy weld di beth bynnag. Rwy' eisiau dy weld di. Eisiau dy weld di'n fwy na dim byd arall yn y byd. Ond dwy' jyst ddim yn siŵr ydy e'n beth doeth. Gweld y lle. Rhoi'r gore i ddychmygu, a gweld y lle fel y mae e.

Rwy' wedi ceisio dychmygu sut le yw Dowagiac ers oesoedd, ac wedi creu rhyw lun yn fy meddwl. A dyw e ddim yn debyg i'r realiti o gwbl. Ma'r lle 'i hun yn frwnt, yn ddigon annymunol mewn mannau, yn eitha . . . wel, cwrs yw'r gair, mae'n debyg. A dyw e ddim yn neis meddwl am y pethau hyn yn llygru rhyw fath o fyd perffaith. (A dyw hi ddim yn neis iawn gorfod meddwl amdanat ti'n byw *o fewn* i'r byd amherffaith hwn, fel y bydd yn rhaid i fi wneud o hyn allan. Ond wedi dweud hynny, dwy' ddim yn gwbod pam y byddwn i eisiau delfrydu'r lle chwaith . . .) A dwy' ddim am ddweud 'mod i am gadw popeth yn bur ac yn lân ac yn gysegredig. *Missing the point* yn llwyr fydde hynny. Rwy' jyst yn credu falle fod 'na rai pethau y mae'n well eu gadael nhw yn rhywle saff, fel y cof a'r dychymyg. Falle bydde hi'n well tasen i jyst ddim yn meddwl am y pethe hyn o gwbl. Ond nad oes na bwrpas dweud hynny nawr. Rwy' *yn* meddwl amdanyn nhw, rwy'n mynd i barhau i feddwl amdanyn nhw, ac rwy' yma nawr *oherwydd* bo' fi'n meddwl amdanyn nhw.

Ac mae e i gyd tipyn yn fwy cymhleth nag yr oeddwn i wedi'i ddychmygu. Ro'n i'n meddwl y byddwn i, ar ôl i fi gyrraedd yma, yn eitha *single minded* ynglŷn â'r holl beth. *Motel*, car, mynd. Ond ma' popeth jyst wedi troi'n rhyw fath o *implosion*, a dim byd yn . . . Rwy' eisiau i rywbeth . . . afael, eisiau i rywbeth fy nhynnu i ar ei ôl. Eisiau i rywun, rhywbeth, benderfynu drosta i am unwaith, yn lle 'mod i'n gorfod meddwl am bopeth fy hunan, ystyried pob posibilrwydd, trefnu popeth yn daclus yn fy meddwl fy hun cyn gallu gwneud dim. A dyna'r pwynt. Gan na alla i drefnu pethau'n iawn, cael popeth yn *straight*, a chan nad oes 'na neb yn mynd i wneud y gwaith hwn drosta i, wna i ddim byd. Fe fydda i wedi dod yr holl ffordd yma, wedi treulio misoedd yn fy mharatoi fy hun at ddod yma, ac yn y diwedd, ar ôl popeth, fydda i wedi gwneud dim byd. Dim oll. Dim yw dim.

*   *   *

Ma'r olygfa olaf yn chwarae mewn *slow motion*. Popeth yn araf ac yn bwyllog. *Considered*. Pob symudiad yn bwrpasol. Pob osgo'n ddrama. Rwy'n cyrraedd ei stryd hi, East Grand River, ac yn arafu'r car hyd yn oed yn fwy, tan 'y mod i'n cripian bron ar hyd yr hewl. Ac ma' cyrraedd yr ardal hon, dilyn yr arwyddion, stopio bob nawr ac yn y man i wneud yn siŵr 'mod i ar yr hewl iawn, fel bod ar daith gweld-y-byd. *Sightseeing*. Rwy'n teimlo fel tasen i ar fy ffordd i weld Graceland neu rywle, a *Nikon* mawr gyda fi rownd fy ngwddf, a'r car yn stopio bob canllath i fi gael tynnu lluniau. 'Wel, dyma ni'n sefyll ger yr arwydd sy'n dweud fod Elvis yn byw pum milltir i ffwrdd. A dyma ni wedyn yn cyrraedd y siop lle byddai cogyddion Elvis yn prynu'r cig i wneud ei byrgyrs e, a dyma'r gornel lle bydden nhw'n gosod biniau Elvis er mwyn i'r cownsil gasglu'i sbwriel e', ac yn y blaen. Ma' pob arwydd – Grand River pum milltir, wedyn dwy filltir, wedyn un filltir unig – yn dod â fi'n agosach atat ti. Ac wedyn pan ddaw'r arwydd am *East* Grand River, a'r saeth yn pwyntio am i fyny, a dy stryd di yn ymestyn o flaen fy llygaid, bron nad yw e'n union fel cyrraedd rhyw *spiritual home*. Ond nad yw hwn yn unrhyw beth tebyg i *spiritual home. Spiritual nemesis* falle, ond wedyn ma' pobl, ffans go-iawn, yn crynu wrth fynd i Graceland, fel tase'r holl brofiad ar fin eu gorchfygu nhw'n llwyr. *Sefyll yng nghartref y Brenin!* Ac ma'n rhaid i fi aros yno am funud, ar waelod y stryd. Troi'r peiriant off, a jyst eistedd yno. Fel tase'r *Wizard of Oz* yn mynd i ddweud holl gyfrinachau bodolaeth wrtha i pan gyrhaedda i 'i diwedd hi, a fi ddim yn hollol siŵr 'mod i am eu clywed nhw.

Mae hi'n ardal lewyrchus. Llewyrchus iawn hefyd. Ac ma'n nhw'n dai mawr bob un. A choed ar bob ochr i'r hewl, a phopeth yn *pleasant*, a'r haul yn dawnsio ar y dail newydd a bywyd yn ymddangos yn braf iawn i drigolion East Grand River. 'Allwn ni byth â cwyno, mewn gwirionedd. Popeth yn ddigon neis wir. Diolch.' Ma'r stryd wedi'i thynnu'n gyfan gwbl o ffilm, ac os weindia i'r ffenest i lawr nawr, fe fydd 'na blant i'w clywed yn chwarae pêl-droed, neu'r *hybrid* Americanaidd siŵr o fod, a neb yn poeni dim am geir na cholli pêl dan olwyn, am fod neb yn gyrru ar hyd yr hewl hon oni bai 'u bod nhw'n ymweld â'r lle'n fwriadol. Do's 'na ddim shwd beth â *chance visitor* yma. Ma' lefelau trosedd yn isel, pawb yn selog yn yr eglwys, a *Stars and Stripes* ar bolyn mawr gan bawb yn ei ardd ffrynt. Ma'n nhw'n ei chodi hi bob Tachwedd a Gorffennaf, ac ma'n nhw'n Weriniaethwyr pybyr. Stryd ac ardal berffaith bron.

Ond mae hi'n ddiwrnod ysgol, wrth gwrs, a'r stryd yn dawel. Ydw i'n genfigennus? Ydw i'n meddwl o ddifri y dylet ti fod wedi aros, a gadael hyn i gyd yn bell bell i ffwrdd? Dwy' ddim yn gwbod. Oherwydd ma' 'na rywbeth hynod o ddeniadol am y lle hwn, a'r ardal yn gyffredinol. Ac nid y tai mawr yw e, na gweddill y *trappings* dosbarth canol cyfoethog chwaith. Ma' 'na ryw dawelwch mawr yn perthyn i'r lle. Llonyddwch. Mae e'n rhywbeth y byddwn i'n hoffi teimlo 'i fod e'n perthyn i mi. Fe fyddwn i'n hoffi bod yn rhan o'r llonyddwch. Nid yn rhan o'r *set* cyfoethog o angenrheidrwydd – ac fe fyddwn i'n casáu gorfod cynnal partis diflas rownd y pwll nofio yn yr haf, a barbeciws yn mygu mwg cyfoethog a dynion yn dangos eu *chests* brown, blewog, pan ddylen nhw, mewn difri calon, wbod yn well. Fe fyddwn i'n casáu bob eiliad o bob munud fel 'na. Ond ma' 'na rywbeth deniadol am y stryd yr un peth. Rhywbeth na alla i cweit ei esbonio'n iawn. Rhywbeth falle nad ydw i'n gwybod yn iawn beth yw e hyd yn oed. Ma'r llonyddwch yn rhan o'r peth, ydy, ond 'i fod e'n fwy na jyst hwnna. Ma' popeth mor ddibryder. Pawb yn hapus, pawb yn gallu cyd-fyw yn hapus â'i gilydd. Ac er 'i bod hi'n hawdd gweld pam ma' pawb yn gallu cyd-fyw'n hapus – mater bach o $80,000 y flwyddyn, a phan fod gyda chi hynny, fe allwch chi fforddio bod yn eitha dibryder ynghylch pethau – eto, fe fyddwn i'n gallu gwerthfawrogi rhyw hapusrwydd uwchlaw'r ochr ariannol ar bethau. Fe fyddwn i'n mynd am *swim* yn fy mhwll fy hun falle, ond fe fyddwn i'n gallu gwerthfawrogi popeth. Ac nid jyst o'r safbwynt materol, er 'mod i'n '*boyo* tlawd o'r cwm', erioed wedi cael mwy na rhyw ddime fan hyn, ceiniog fan draw . . . Fe fyddwn i'n gallu gwerthfawrogi'r llonyddwch sy'n dod yn sgil y pethau hyn. Fe fyddwn i'n gallu . . . wel, sai'n gwbod yn iawn, ond bydde fe'n gallu fy siwtio i. Byw'n neis. Glased bach o win gyda bwyd. A dwy' erioed wedi dyheu am gyfoeth na dim byd. Wastad wedi delfrydu hapusrwydd. Cyduniad dau enaid hoff a.y.b. Digon diflas. Ond do's neb yn 'y ngwobrwyo i am fod mor nobl. Pawb jyst yn meddwl bod byw mewn fflat *shitty* mewn twll o le yn iawn achos bo' fi byth wedi trio bod fel arall. Ond fe fydde hi'n neis, jyst am newid bach, i ddeffro yn y bore a chlywed adar yn canu, gweld coeden neu jyst unrhyw fath o wyrddni. Fel tase'r lliw gwyrdd, a'r cloroffyl yn ryw fath o *hallucinogen*, a jyst gweld gwair, neu ddail, anadlu awyr ffres, yn gallu newid eich canfyddiad chi o bopeth. 'Neud i chi ddechre *off* yn hapus. Ac os gallwch chi ddechre dydd yn hapus, ma' 'da chi fwy o siawns ei orffen e felly. Neu jyst ei orffen e, hyd yn oed.

Ac mae'n siŵr 'mod i *yn* genfigennus. 'Mod i *yn* gweld bai arnat ti am ddod i fan hyn, a gadael y cwm, a 'ngadael i a gadael popeth. Am ddod i'r fan hon lle ma' popeth yn neis ac yn ddymunol. Ond alla i ddim gwarafun dim i ti, mae'n debyg. 'Nest ti ddim ond gweld dy gyfle a gafael ynddo fe. Dim byd yn bod ar hynny. Ac os wyt ti'n hapus . . .

*   *   *

Ac rwy'n tanio peiriant y car eto, ac yn cychwyn am dy stryd di. Heibio i un tŷ, ac un arall, ac un arall. Mae hi'n rhodfa hir, a'r coed yn toi'r hewl ar bob ochr. Ma'n rhaid i fi arafu ymhen rhyw funud. I edrych ar rifau'r tai. Rhifau rhwydd ar y chwith, afrwydd ar y dde. 239, 237, 235. A phob tŷ yn ddigon pell wrth ei gilydd fel y gall yr asiant gwerthu tai dynnu llun sy'n gwneud iddi edrych fel tase'r tŷ hwnnw yr unig un o fewn pum milltir i'r fan. 233 ac ymlaen. Ac yna, heb i fi orfod edrych ar y tai eraill, ma'n llygaid i wedi'u hoelio ar dy dŷ di. Tŷ gwyn, mawr. Tŷ gwyn, mawr iawn. Rwy'n diffodd y peiriant, yn tynnu fy nwylo oddi ar y llyw, ac yn gadael i'r car fynd yn ei flaen ar ei ben ei hun am yr ychydig fetrau olaf. Ac yna mae e'n stopio. Rwy'n edrych i fyny, ac mae e fel *Little House on the Prairie*. Ma' 'na ddreif ar yr ochr dde, a garej dwbwl mawr. Ond does 'na ddim ceir yno. Pawb allan yn gweithio? Wedyn ma' 'na lwybr cerrig yn torri'r lawnt yn ei hanner, a grisiau pren llydan yn arwain at *verandah* fechan, ac ma' 'na siglen yno, a drws ffrynt pren, a bwlyn aur arno. Mae e'n hyfryd. Y drws, y *verandah*, popeth. Y tŷ'n gyfan. Ac ma' 'na stafelloedd a ffenestri ymhobman yno. Lolfa ar yr ochr dde, ac fe alla i weld llun o rywbeth, tirlun prydferth mewn olew, o bosib, ar y wal yno. A sawl stafell wely sy 'na 'sgwn i? Pump? Chwech, falle? Mwy? Ond go brin fod pob un yn cael ei defnyddio fel stafell wely. Stydi falle, un ohonyn nhw. 'Stafell sbâr. Ac yn yr ystafell bella ar y chwith, lan llofft, ma' 'na ffenest lydan hyfryd yn gwahodd haul tanbaid y prynhawn, a phob prynhawn tebyg. Ac ar y ffenest sticeri mawr 'Jordan 23' a 'N.B.A. Champions' a phen y Chicago Bulls yn herio'r stryd.

Ac rwy'n credu erbyn hyn 'mod i wedi gweld digon. A' i ddim ar gyfyl y tŷ, dwy' ddim yn meddwl. (Dyw hi ddim yn edrych yn debyg fod 'na unrhyw un i mewn, beth bynnag. Ond hyd yn oed petai yna . . .) A dyma fy niwrnod llawn cynta i yma. Ma' gen i ddiwrnodau cyfan ar ôl yn Dowagiac, ac yn America. Ond ddo' i ddim 'nôl, dwy' ddim yn credu. Rwy' wedi gweld digon ar y lle.

Ac yn y fan hon, r'yn ni'n gadael y person cyntaf. Oherwydd rwy' am i chi ddychmygu, os gwnewch chi, fod 'na gamera yn un o'r coed y tu ôl i f'ysgwydd chwith, a'i fod e ar hyn o bryd yn dangos *close-up* o fy mhen a hynny o wyneb sydd i'w weld o'r ongl honno. Dychmygwch wedyn fod y *close-up* yn tynnu 'nôl yn araf o'r fan honno, a'i fod e'n dechrau dangos yr hewl, rhan o'r dreif, y car, ac amlinell fy nghorff i drwy'r to haul. A dyw'r *shot* ddim yn aros fel 'na. Nawr, mae'r camera 'i hun yn encilio, nes ein bod ni'n gweld y dreif yn gyfan, y *verandah*, y tŷ gyferbyn ar ochr arall yr hewl. Yna dyna'r stafelloedd lan llofft, y tŷ i gyd, a'r camera erbyn hyn fry yn yr awyr, ac yn dal i encilio, a phopeth yn graddol leihau wrth i'r pellter rhwng lens a gwrthrych gynyddu. A dychmygwch wedyn, fel un ffafr olaf i fi, eich bod chi'n gweld y car yn ysgwyd wrth i'r peiriant gael ei danio eto, cyn iddo ddechrau symud, yn araf i ddechrau ond yn cyflymu bob gafael, nes ei fod yn cyrraedd pen arall y rhodfa hir a choediog. A'r golau'n gwneud arwydd troi i'r dde wedyn, cyn i'r car ddilyn yr hewl i'r cyfeiriad hwnnw a gadael y *shot* yn araf, ddiffwdan.

Bang bang bang bang bang bang!